Chère Lectrice,

Vous avez sans doute déjà remarqué le [illegible]azine, conçu en l'honneur des 20 [illegible] qui accompagne vos Ho[illegible] vous révèle votre horosc[illegible]ner des cadeaux couleu[illegible]vec ce début de printen[illegible] de qu'il vous réserve [illegible]ite, avant de vous plon[illegible]antique que Joanna vit avec le be[illegible]écouvrez comment ce *Charmant locataire* (N[illegible]) qui, pourtant, ne lui inspire tout d'abord qu'indifférence, parvient à la séduire...

S'il est un homme qui ne manque pas non plus de séduction, c'est bien Mitch McCord, que toutes les femmes s'accordent à trouver irrésistible. Toutes, sauf Jenny, sa voisine, qu'*Un enfant providentiel* (N° 1528) l'amène à fréquenter assidument...

Tyler, lui, ne songe pas à devenir père, mais plutôt à trouver une femme ! En effet, afin d'échapper aux avances de sa patronne — et à un licenciement abusif —, ce célibataire endurci lui fait croire qu'il est marié et se met en quête, pour mieux donner le change, d'une épouse sur mesure, qui soit *Parfaite pour le rôle* (N° 1529) !

Quant à Alex, le héros de *Mariage à l'américaine* (N° 1530), il épouse la gouvernante de sa fille, pour lui permettre d'obtenir un permis de travail définitif. Mais, s'il compte s'en tenir à une union de façade, la jeune femme, elle, a d'autres intentions...

Enfin, dans *Passion de jeunesse* (N° 1431), et *Souvenirs envolés* (N° 1532), les derniers titres de ce mois d'avril, vous ferez la connaissance de deux héroïnes se trouvant dans des situations radicalement opposées : en effet, l'une est hantée par ses souvenirs, tandis que l'autre... a tout oublié !

Bonne lecture et au mois prochain,

La Responsable de collection

Harlequin d'Or n° 1

LE 15 MAI, EN PLUS DES 6 TITRES HABITUELS, UN HARLEQUIN D'OR SERA PUBLIÉ DANS LA COLLECTION HORIZON.

Si nous avons choisi "Un papa au-dessus de tout soupçon" de Phyllis Halldorson, c'est pour la qualité, l'intensité et l'originalité de son histoire. Vous avez d'ailleurs été nombreuses à citer ce livre parmi les romans Harlequin que vous jugez inoubliables et dont voici un résumé :

Fort, viril mais aussi tendre et doux, papa gâteau et homme d'affaires brillant et séduisant : Jonathan incarne à la perfection l'idéal masculin de Chloé. Mais comment espérer le séduire et gagner sa confiance alors que, chargée de mener sur lui une enquête délicate, elle est entrée dans sa vie en se faisant passer pour une gouvernante ? Comment, aussi, ne pas craquer face à ses adorables petites filles qui ne demandent qu'à être aimées ?

Publié sous une luxueuse couverture, un roman à lire ou à relire, à partager ou à garder précieusement avec les 6 autres Harlequin d'Or spécialement réédités par Harlequin à l'occasion de ses 20 ans.

LE 1ER JUIN, CONTINUEZ VOTRE COLLECTION
AVEC LE HARLEQUIN D'OR N° 2
DANS LA COLLECTION ROUGE PASSION :
"LES CAPRICES DU HASARD" DE ERICA SPINDLER.

CHARLOTTE MACLAY

Un charmant locataire

COLLECTION HORIZON

Cet ouvrage a été publié en langue anglaise
sous le titre :
ONLY BACHELORS NEED APPLY

Traduction française de
FRANÇOISE HENRY

Originally published by SILHOUETTE BOOKS,
division of Harlequin Enterprises Ltd.
Toronto, Canada

83-85, boulevard Vincent-Auriol, 75013 Paris — Tél. · 01 42 16 63 63
ISBN 2-280-13924-3 — ISSN 0993-4456

1.

— Tu te rends compte ? Il a eu l'audace de me dire que ce serait différent si j'étais mariée !

D'un geste excédé, Joanna Greer lança son sac sur la table de la cuisine.

Occupée à arroser la jungle de plantes en pots qui ornait la fenêtre, Agnès Greer se détourna de sa tâche pour considérer sa fille.

— Qui t'a dit ça, chérie ?

Elle souriait d'un air absent tandis que l'eau continuait de jaillir de son arrosoir de cuivre pour se répandre sur le sol. Joanna releva le bec verseur.

— C'est le prétexte qu'a trouvé le directeur de la banque pour me refuser mon prêt !

— C'est moche.

Joanna s'agenouilla afin de réparer les dégâts avec du papier absorbant. Etant donné la propension de sa mère à l'étourderie, l'incident était somme toute mineur.

— Moche ? C'est désastreux, tu veux dire ! Nous sommes mi-septembre ; il va commencer à pleuvoir en novembre et le toit de l'immeuble dans lequel j'ai placé l'argent de l'assurance vie de papa, pensant que sa location nous assurerait un revenu confortable, est pourri. A la première tempête, il s'effondre !

En lui laissant un gros emprunt à rembourser pour un immeuble comportant des bureaux impossibles à louer.

— Je suis sûre que si tu relances Wally Petersen, il changera d'avis. Il a l'air d'un brave homme.

— Ce directeur que tu apprécies tant a deux siècles de retard ! Le mariage ne peut servir à obtenir un emprunt. C'est de la discrimination !

La physionomie d'Agnès s'éclaira.

— Moi, je trouve que le mariage présente des avantages.

— Enfin, maman, je ne vais tout de même pas me marier uniquement pour obtenir un prêt !

— Les maris servent à bien d'autres choses encore, ma chérie. Vraiment, tu devrais songer à te trouver un brave garçon qui serait un père pour Tyler...

— Inutile de revenir là-dessus, maman. Tyler et moi nous en sortons très bien tous seuls.

Faire supporter à un homme une belle-mère que tous s'accordaient à trouver bizarre et l'éducation d'un petit garçon de dix ans qu'il n'aurait pas engendré ? Certainement pas !

Par ailleurs, le choix n'était guère vaste à Twain Harte, petite bourgade californienne nichée dans les contreforts de la Sierra. La plupart des célibataires y portaient des ceinturons à boucle voyante, n'avaient pas touché un livre ou un journal depuis la fin de leurs études et conduisaient des pick-up équipés de râteliers à fusils. Description qui ne correspondait décidément pas à l'idée que Joanna se faisait du compagnon idéal. Elle avait travaillé trop dur à l'obtention de ses diplômes d'enseignement pour ignorer la valeur de l'éducation.

Elle jeta le papier mouillé dans la poubelle.

— Je comptais passer une annonce pour louer les locaux ce week-end, mais je dois me rendre à des journées pédagogiques qui ont lieu à Sacramento lundi et mardi. Je ne serai donc pas là pour répondre aux appels.

— Je peux m'en occuper, ma chérie.

Joanna en doutait. Elle considéra sa mère. Aujourd'hui était un jour pourpre. Agnès portait un chemisier pourpre sur une jupe à fleurs pourpre et avait noué un foulard assorti dans des cheveux aux reflets acajou. Joanna soupira.

— Si tu crois pouvoir t'en tirer..., dit-elle, masquant sa réticence.

Pour être en mesure de discuter avec sa banque, il lui fallait impérativement louer les trois bureaux et l'immense garage. A ce moment-là seulement, elle pourrait reprendre rendez-vous avec Wally Petersen et essayer d'obtenir ce prêt dont elle avait si cruellement besoin.

Agnès posa l'arrosoir sur le plan de travail.

— Laisse-moi te rendre ce service, ma chérie. Naturellement, tu t'occuperas des négociations finales. Cependant, je peux très bien répondre aux questions des gens intéressés par téléphone et leur expliquer les avantages de cet immeuble, desservi en outre par la nationale. Un vrai bijou.

Bien situé aussi pour la propriétaire puisqu'il se trouvait à un jet de pierre de chez Joanna.

Cette dernière consulta sa montre. Comme d'habitude, elle arriverait en retard pour prendre Tyler à son entraînement de football.

— Si tu insistes...

Joanna tira de son sac un morceau de papier.

— J'ai déjà rédigé l'annonce. Voudrais-tu appeler le journal pour la leur communiquer ?

— Naturellement ! Je peux même ajouter quelques mots de ma main vantant la propriété.

— Non, maman, s'il te plaît. Elle est très bien comme ça.

Le sourire qui passa sur le visage de sa mère ne laissait rien présager de bon. Mais, songea Joanna, elle était obligée de partir chercher Tyler. Le couple qui entraînait l'équipe de son fils ne supportait pas que les parents soient en retard. Dommage qu'aucun autre parent ne puisse ou ne veuille se charger de cet entraînement.

Kris Slavik enveloppa un stylo neuf dans un morceau du journal du matin et le rangea dans le carton. S'il n'avait été gravé à son nom, il n'aurait même pas pris la peine de l'emporter. Peu de choses de ce bureau qu'il désertait lui seraient utiles par la suite.

Il prit la tasse vide posée sur le bureau et sourit. La formule mathématique qui la décorait égalait zéro. Quoiqu'elle fût extrêmement compliquée, il avait réussi à la résoudre dès son arrivée chez N.C.C., Nanosoft Computerware Corporation, réussissant ainsi son examen de passage.

Chad Harris, son associé et ami, fit irruption dans le bureau, foulant d'un pas nerveux l'épaisse moquette. Contrairement à son habitude — la correction de sa tenue était légendaire —, il avait desserré le nœud de sa cravate de soie et détaché le bouton du col de sa chemise.

— Je n'arrive pas à croire que ce soit vrai, se lamenta-t-il.

— J'ai tout prévu pour un an, répliqua Kris. La transition se fera donc en douceur. Je ne vois d'ailleurs pas pourquoi ma décision stupéfie tout le monde.

— Tu as dû attraper un virus au cerveau, Kris. On ne prend pas sa retraite à ton âge !

— Il me semble au contraire que trente et un ans est l'âge idéal.

Kris aurait même préféré se retirer des affaires un an

plus tôt. Car c'était le jour de son trentième anniversaire qu'il avait pris conscience d'avoir raté beaucoup de choses dans sa vie. Et la révélation avait été si foudroyante que, s'il n'avait pas tout abandonné à l'instant, c'était uniquement par loyauté envers son ami et leurs employés.

— Pense à l'avenir de N.C.C., dit Chad, du ton geignard qu'il employait chaque fois qu'il abordait la question. Notre chiffre d'affaires a quasiment doublé en cinq ans, et avec notre nouveau système d'exploitation, les ventes vont monter en flèche.

Kris sourit avec satisfaction.

— Raison de plus pour partir l'esprit tranquille. Je sais que tu géreras au mieux mes parts de l'entreprise. Et puis nous avons gagné plus d'argent que nous ne pourrons en dépenser dans toute notre vie.

— Là n'est pas la question. Nous avons à l'étude des concepts de logiciels ré-vo-lu-tion-nai-res ! Tu ne veux pas participer à l'aventure ?

Kris réfléchit. Naturellement, la perspective était tentante. Il savait simplement qu'elle ne suffirait pas à remplir le vide qu'il avait découvert en lui.

— J'aimerais essayer autre chose.

— Quoi, par exemple ?

— Je ne sais pas encore.

Chad leva les bras au ciel.

— Tu es complètement fou ! Enfin, c'est ta vie. Essaie simplement de ne pas oublier le cocktail d'adieu, cet après-midi.

— Ne t'inquiète pas pour ça.

Chad jeta un coup d'œil critique à son ami.

— Ce serait sans doute trop te demander que de porter quelque chose de convenable pour l'occasion.

Kris considéra son vieux jean et son T-shirt. Ils étaient propres, et lui paraissaient tout à fait convenables.

— Réfléchis, mon vieux. Si je m'habille, le personnel ne nous distinguera plus.

Chad haussa les épaules. Avec ses cheveux bruns et sa peau mate, on ne risquait pas de le confondre avec Kris, dont la crinière était couleur blé mûr et les yeux gris. Marmonnant entre ses dents, il regagna son bureau.

En riant, Kris reprit son travail d'emballage.

Comme il déchirait un morceau du journal pour envelopper sa tasse, une annonce de la rubrique Locations attira son regard. Il s'assit dans le fauteuil, se renversa contre le dossier à en faire craquer les ressorts et posa ses pieds sur son bureau, ses vieilles tennis paraissant encore plus usées contre le luxueux bois d'acajou poli. Cette annonce était alléchante.

En ce moment, Kris se demandait à quoi un jeune homme de trente et un ans, sans emploi, peut bien employer son temps ? L'annonce lui ouvrait un champ d'opportunités qu'il était pressé d'explorer.

Le mardi suivant, en dépit de la circulation, Joanna parvint à regagner Twain Harte en fin d'après-midi.

Elle découvrit Tyler étendu sur le canapé du salon et l'étreignit tendrement. Des traces de saleté marquaient son visage, ses cheveux blonds, d'un ton plus clairs que les siens, étaient collés à son crâne par la transpiration.

— Tu m'as manqué, petit tigre, dit-elle, submergée par l'amour qu'elle éprouvait pour lui.

— C'est pas une raison pour être collante, se plaignit Tyler.

Cependant, un sourire creusait ses joues d'enfant.

— Pas de problème. Aucun de tes amis n'assiste à mes embrassades !

Elle lui arracha des mains le ballon de football dont il

ne se séparait pratiquement jamais, le fit tournoyer et le lui rendit avec un affectueux sourire.

— Où est ta grand-mère ?

— Je suis là, ma chérie.

Emergeant de la cuisine, Agnès vint embrasser sa fille. C'était un jour abricot. Pantalon de toile, blouse et foulard assortis ; ses cheveux avaient encore un léger reflet pourpre.

— J'ai de bonnes nouvelles pour toi.

— Oui ?

— Je viens de louer un bureau à un homme charmant ; et il prend le garage aussi.

— Maman ! Nous étions convenues d'attendre mon retour pour...

Tyler enfourcha le bras du canapé.

— Mamie a failli devenir folle ! Le téléphone n'a pas arrêté de sonner depuis que l'annonce est parue.

— Vraiment ?

Curieux. Joanna comptait que louer les bureaux prendrait des semaines, sans parler du garage et de la remise qu'elle ne pensait même pas parvenir à rentabiliser. Si seulement le service administratif des Eaux et Forêts n'avait pas quitté les lieux pour regrouper ses installations et économiser de l'argent, elle ne se retrouverait pas dans une telle impasse.

— D'autres messieurs viendront visiter les locaux dans la semaine, reprit Agnès. Mais ce M. Slavik était pressé d'emménager.

— J'espère que as vérifié ses références !

— Je ne l'ai pas jugé nécessaire, ma chérie. Nous nous sommes admirablement entendus. Je suis sûre qu'il fera un parfait locataire.

Joanna soupira intérieurement. Se fier au jugement de sa mère, surtout depuis le décès de son époux, deux ans auparavant, c'était aller au-devant des pires ennuis.

— Je vais le voir, dit Joanna. A-t-il signé un contrat ?

— Oui. Et il a payé comptant. Le premier mois de loyer et un mois de caution, comme tu l'avais précisé.

— Il a sorti un rouleau de billets tellement gros que j'ai manqué m'évanouir ! s'exclama Tyler. Ce type-là, il est plein aux as, maman !

— Ne te fie pas aux apparences, rappela Joanna à son fils. Un rouleau de billets d'un dollar ne représente pas grand-chose.

Et certains escrocs usaient de stratagèmes pour abuser les vieilles dames et leur soutirer leur argent...

— Savez-vous si M. Slavik est là ?

— Certainement, ma chérie. Il envisage de camper dans le bureau jusqu'à ce qu'il trouve une maison à acheter dans le coin. Je crois qu'il est impatient de te rencontrer.

Il le serait peut-être moins quand il s'apercevrait qu'elle l'avait percé à jour. Elle ne laisserait certainement pas un petit filou escroquer sa mère. A partir de maintenant, M. Slavik devrait compter avec elle !

Joanna laissa sa valise au milieu de la pièce et se dirigea vers la porte. La chaleur estivale imprégnait encore l'air et les arbres formant une voûte au-dessus de la rue étaient couverts de poussière. Les feuillages commençaient toutefois à prendre des tons cuivrés. Même si le froid n'arriverait pas avant un mois, un changement de saison s'annonçait, qui apporterait aussi la pluie.

Une fois qu'elle eut tourné le coin de sa rue, Joanna vérifia que la voie était libre avant de traverser la route qui menait au cœur de Twain Harte, les talons plats de ses chaussures claquant sur l'asphalte.

Un seul véhicule se trouvait garé près de la bâtisse en rez-de-chaussée : une vieille Oldsmobile avec une aile froissée, un coffre trop plein pour fermer, et un V.T.T. arrimé sans trop de soin sur la galerie.

Deux jambes gainées de jean dépassaient de sous l'antique véhicule. Apparemment l'« homme charmant » n'avait trouvé qu'une chaussette ce matin, une chaussette de sport blanche à l'élastique fatigué.

Joanna s'éclaircit la gorge.

— Monsieur Slavik ?

— Une seconde ! Je vérifie un joint...

Sa mère avait raison sur un point. La chaude voix de baryton de l'étranger possédait un charme certain. A moins que tous les hommes ne soient naturellement entourés d'une aura virile quand ils s'affairent sous une voiture...

M. Slavik se mit à onduler et ses jambes émergèrent centimètre par centimètre de sous la voiture. Une large déchirure ornait le genou d'un jean complètement usé ; cependant, le corps qui se dévoilait par petits morceaux était celui d'un homme en parfaite condition physique. Et, escroc ou pas, considérablement plus jeune que Joanna se l'était d'abord imaginé.

Elle recula afin de lui laisser le loisir de se dégager. D'un bond agile, il se redressa et lui sourit. Une tache de graisse marquait la fossette de sa joue.

Il avait environ une trentaine d'années, c'est-à-dire plutôt son âge que celui de sa mère.

— Bonjour ! Je parie que vous êtes Joanna.

Sous le regard pétillant d'intelligence des yeux gris qui la détaillaient avec un évident intérêt, Joanna sentit le souffle lui manquer.

— C'est cela...

— Je sais tout de vous. Votre mère est plutôt bavarde.

Fait exceptionnel, Joanna éprouvait de la difficulté à recouvrer ses esprits.

— En revanche, elle a omis de me préciser certains détails à votre sujet, rétorqua-t-elle.

En effet, Agnès ne lui avait pas raconté que la taille de leur locataire avoisinait le mètre quatre-vingt-dix et que ses cheveux tout ébouriffés et très blonds attiraient irrésistiblement la caresse.

— Vraiment ? Lesquels ?

De sa poche arrière, Kristopher Slavik sortit un chiffon et entreprit de s'essuyer les mains. Ses doigts étaient longs et déliés comme le reste de son corps.

Joanna écarta la pensée importune.

— J'ignore votre métier.

Comme il l'examinait avec davantage d'attention, Joanna regretta soudain de ne pas porter un sac informe plutôt qu'une blouse d'été et une jupe droite. Cette tenue, parfaitement correcte au demeurant, était susceptible d'en révéler trop à qui voulait bien se donner la peine d'y regarder de près.

— Mettons que je sois inventeur.

— Oh ! Et qu'inventez-vous ?

— Ce qui me passe par la tête.

— Hum... A première vue, ça ne semble pas très lucratif.

— Ça peut le devenir si on trouve le bon créneau.

— Je comprends. Eh bien, monsieur Slavik...

— Kris, voyons !

Joanna ignora la remarque.

— Dans votre contrat, il est stipulé que vous paierez votre loyer le 15 de chaque mois. Ma mère a négligé de vous demander votre relevé d'identité bancaire, les coordonnées de vos précédents propriétaires et autres renseignements. Si vous voulez bien...

— Je projette d'inventer un V.T.T. à deux places.

— Pardon ?

— Vous savez, une bicyclette sur laquelle on peut monter à deux.

— Ça s'appelle un tamdem, si je ne m'abuse ?

— Ce sera différent. Il sera muni d'un siège deux places pour rouler côte à côte sur les pistes de montagne.

Il sourit.

— Je vous invite à venir l'essayer avec moi. Quand je l'aurai construit, bien sûr.

En se rendant compte qu'il flirtait avec elle, Joanna éprouva une curieuse sensation. Le fait était assez rare dans sa vie plutôt austère pour être signalé.

— Existe-t-il un marché pour cette sorte d'engin ?

Il haussa nonchalamment les épaules.

— Je le saurai le moment venu.

C'était une façon bien hasardeuse de mener ses affaires, pensa Joanna. Enfin, aussi longtemps qu'il payait son loyer, ça ne la regardait pas.

— J'aimerais que vous me communiquiez le nom de votre banque, reprit-elle.

Les sourcils bien dessinés se froncèrent.

— C'est que... pour l'instant, je suis comme l'oiseau sur la branche.

Et s'il était à découvert ? pensa Joanna, soupçonneuse. Etant donné sa tenue, l'éventualité était à envisager. Les mèches de cheveux décolorés par le soleil qui bouclaient sur sa nuque pouvaient être le résultat d'un choix ou d'une simple négligence, mais aussi révéler une gêne financière.

— Dans ce cas, donnez-moi le nom de votre dernier propriétaire.

Il réfléchit, plus longuement que ne le méritait la question, puis, de nouveau, fronça les sourcils.

— En fait, je ne me souviens pas d'avoir eu de propriétaire jusqu'à maintenant. Mais je crois que ça va me plaire.

— Ecoutez, monsieur Slavik...

— Kris. Avec un K.

— ... j'ai contracté un emprunt conséquent pour acquérir cette propriété et je ne serai pas en mesure de rembourser mes mensualités si mes locataires ne paient pas régulièrement leur loyer. Je suis désolée d'insister, mais...

— Et si je vous règle un an d'avance ? Vous n'aurez plus à vous soucier de paperasserie.

Il fouilla sa poche et en sortit le rouleau de billets qui avait tant impressionné Tyler.

— Vous payez en espèces ?

— Naturellement. Ce sont de vrais billets, vous savez.

Voire. A la connaissance de Joanna, seuls les trafiquants de drogue ou les braqueurs de banque disposaient d'autant d'argent liquide. Ses yeux s'agrandirent tandis qu'il déroulait des billets de cent dollars et entreprenait de les compter. Tyler avait raison ; cet homme était plein aux as !

Il lui tendit une liasse.

— Comme ça, c'est mieux ?

— Eh bien, je suppose que oui.

Il eût été ridicule de refuser une coquette somme pour rechercher un hypothétique locataire plus traditionnel dans la gestion de ses finances.

— Je suis bien content que tout soit arrangé. Si nous allions dîner quelque part ensemble ?

Joanna sursauta. Jamais un homme ne s'était montré aussi direct avec elle.

— Certainement pas, monsieur Slavik. J'aime autant que nos relations restent sur le terrain des affaires, si ça ne vous dérange pas.

— Curieux. Ce n'est pas l'impression que donne votre annonce.

— Quelle annonce ?

— Mais celle que vous avez passée pour louer vos bureaux.

Un désagréable pressentiment assaillit Joanna.

— Je ne comprends pas...

— Elle est vraiment *très* intéressante. Et juste aussi.

Il glissa deux doigts dans la poche de son jean et en tira un morceau de papier journal tout froissé.

— En matière de publicité, j'apprécie qu'on ne fraude pas.

Avec un sentiment de curiosité mêlée d'appréhension, Joanna tendit la main vers le papier encore chaud du contact de son corps.

« Intelligente et jolie jeune femme à marier, disait l'annonce, mère d'un adorable petit garçon de dix ans, cherche à louer bureaux et garage. Prix raisonnables. Célibataires uniquement. »

Joanna rougit.

— Ce n'est pas le texte de mon annonce..., commença-t-elle.

Puis elle perdit contenance et se mit à bafouiller.

— Ce doit être ma mère... Quelquefois, elle est... Je vais lui dire...

Kristopher Slavik se contenta de lui offrir ce sourire si séduisant qui creusait sa joue, allumait un éclat malicieux dans son regard et éveillait en elle un sentiment aussi improbable que délicieux.

— Alors, et ce dîner ?

— Non !

Avant de songer à se restaurer, Joanna comptait bien faire passer à sa marieuse de mère le goût de l'intrigue !

2.

Les cheveux longs de Joanna dansaient sur ses épaules tandis qu'elle traversait la rue d'un pas nerveux. Adossé à sa voiture, Kris la regardait s'éloigner en souriant. Sa propriétaire était un joli petit lot. Tous les détails de sa physionomie, yeux d'un bleu lumineux, nez insolent, lèvres pleines et menton volontaire s'harmonisaient comme si un artiste eût présidé à leur agencement. Il existait certains traits de ressemblance entre Joanna, sa mère et son fils, mais ces derniers ne possédaient pas la tendre et juvénile féminité qui faisait tout son charme !

Jamais Kris n'avait prêté autant d'attention à une femme. Il était le genre d'homme à se concentrer sur une tâche à l'exclusion de toute autre et il ne songeait pas à fonder une famille. Cela semblait pourtant un défi intéressant à relever pour un homme qui avait jusqu'à présent réussi tout ce qu'il entreprenait.

Malheureusement, s'il s'était initié très jeune aux complexités de la programmation informatique, il ignorait pratiquement tout des techniques de la séduction. A part une liaison passionnée avec une enseignante, plus brillante que belle, et considérablement plus expérimentée que lui, ses rapports avec les femmes s'étaient limités à des aventures passagères.

A en juger par l'étincelle qui luisait dans le regard de Joanna, par le pli volontaire de son menton, Kris devinait qu'il lui faudrait déployer des trésors d'habileté pour parvenir à ses fins alors qu'il ignorait presque tout des règles du jeu. La pensée qu'il s'y révélerait peut-être exécrable l'assombrit. Si dans sa jeunesse il avait maîtrisé quelques plaisantes techniques sexuelles — grâce soit rendue à sa fougueuse maîtresse —, ni celle-ci ni ses parents ne lui avaient enseigné l'amour ou la tendresse. Ce qui représentait un handicap certain face à Joanna Greer.

Le fait d'avoir impulsivement déclaré qu'il était inventeur ne jouait sans doute pas en sa faveur non plus, même s'il lui laissait espérer une promenade en tête à tête...

Un bruit de pneus crissant sur le gravier attira l'attention de Kris. Une Porsche décapotable s'arrêta à sa hauteur.

— Je cherche Joanna Greer, dit le conducteur, descendant de voiture.

Grand, bien bâti, on l'eût dit sortant tout droit des pages d'un magazine de mode masculine. Sa chemise de soie était impeccable et, bien qu'il conduise tête au vent, pas un cheveu ne dépassait. Son sourire découvrit une dentition absolument parfaite.

Kris ressentit à l'égard de l'arrivant une animosité aussi soudaine qu'inhabituelle.

— Elle n'est pas ici, répondit-il, affectant l'indifférence.

— Vous êtes venu pour l'annonce, n'est-ce pas ?

— Possible.

Il réfléchissait à toute allure au moyen d'éliminer ce rival potentiel.

— Je parie que ce n'est pas une affaire. Les femmes qui passent ce genre d'annonces pour rencontrer des hommes en sont généralement réduites à la dernière extrémité. Du moins celle-ci possède-t-elle quelques biens. Si elle n'est pas trop moche, je la laisserai m'entretenir...

Il haussa les épaules.

— Un certain temps, du moins. Jusqu'à ce que je me lasse.

Kris serra les poings. En règle générale, il n'était pas violent ; cependant, une terrible envie de boxer la figure de l'ignoble personnage le démangeait.

— Je crains que vous n'ayez frappé à la mauvaise porte. Ça m'étonnerait que vous supportiez de passer plus de cinq minutes près de Mlle Greer !

Kris comptait même bien qu'il en passerait moins que ça.

L'étranger le considéra avec méfiance.

— Vous n'essayez pas de m'évincer pour la garder pour vous ?

— Dieu m'en garde !

Kris ne tenait pas à se poser en rival. Il avait jusqu'à présent toujours refusé de se battre pour une femme, cette pratique lui semblant venir tout droit de l'âge des cavernes.

— Dès que j'ai réparé cette maudite fuite d'huile, je file ! Je vous laisse la dame si vous pensez qu'elle en vaut la peine.

— Non, non. Je vous crois sur parole !

Et, sur ces mots, l'intrus se glissa derrière son volant.

— Je vais m'arrêter à Bakersfield. Il y a toujours de l'animation dans ces bars pour célibataires. J'y trouverai bien quelqu'un.

— Bonne chance !

Le moteur se mit à ronronner. Kris agita la main en signe d'adieu. Il songeait que c'était plutôt aux pauvres femmes que ce rustre comptait pourchasser qu'il aurait dû souhaiter bonne chance.

⁂

— Te rends-tu compte que tu me places dans une situation impossible ! s'exclama Joanna, les joues brûlantes de honte.

Cependant, occupée à faire frire du poulet pour le dîner, sa mère gardait un calme olympien. Vraiment, ses excentricités dépassaient quelquefois les bornes. Et souvent aux dépens de Joanna.

— L'important, c'est que les locaux soient loués, non ? Ç'aurait été le vœu d'Alexander, en tout cas.

— Papa ne m'aurait sûrement pas présentée sous les traits d'une vieille fille obligée de passer une annonce pour trouver un homme !

Dans son humiliation, Joanna se demandait si elle oserait jamais se présenter de nouveau devant Kris Slavik, ou, pire, devant le futur visiteur.

— Il ne semble pas que tu aies rencontré tellement d'hommes intéressants par la voie normale, décréta Agnès avec un sourire désobligeant.

Elle ne s'avisait pas que l'eau où cuisaient à gros bouillons les pommes de terre débordait et se répandait sur la gazinière.

— Le dernier semblait passablement étrange, poursuivit-elle. Il n'avait jamais dû voir un rasoir de sa vie !

Joanna éteignit le gaz et déplaça la casserole. Vieux de cinq ans, l'épisode n'appelait pas de commentaires. Elle avait accepté de sortir avec le frère d'une de ses collègues pour lui faire plaisir, voilà tout, et avait été ravie de voir se terminer une soirée mortellement ennuyeuse.

— Hé, maman, tu vas sortir avec ce type ?

Tyler préleva deux cookies dans un bocal et en enfourna un dans sa bouche.

— Il a les moyens de t'emmener dîner au City Hotel

de Columbia. C'est là que la mère de Pete veut que son père l'emmène pour fêter ses anniversaires et tout ça.

— Mets-toi dans la tête que je n'irai nulle part avec ce M. Slavik, ni avec aucune autre personne susceptible de louer les bureaux pour la seule raison que ta grand-mère a cru bon de trafiquer mon annonce !

— Pas de grignotage avant le repas, s'il te plaît, Tyler, dit Agnès, ignorant aussi superbement la remarque de Joanna qu'elle avait ignoré l'eau qui débordait de la casserole.

— Je meurs de faim, mamie ! Je n'ai mangé qu'un sandwich depuis mon entraînement !

Agnès sourit tout en retournant le poulet.

— Le repas sera bientôt prêt.

Ils ne lui prêtaient aucune attention. Sa mère et son fils s'inquiétaient plus pour le dîner que de savoir comment elle se tirerait de ce pétrin. Sa mère avait déjà réussi quelques exploits, comme le jour où elle avait serré si fort le nœud du sac contenant le pique-nique de Tyler qu'il avait dû quêter l'aide de ses amis pour ne pas mourir de faim. Mais cette petite plaisanterie battait tous les records !

Premier geste, le lendemain matin : annuler l'annonce.

Mais d'abord, il lui fallait mettre les choses au point avec M. Slavik. S'il décidait de rester dans les parages, ce serait en tant que locataire. Et si ça ne lui convenait pas, elle n'hésiterait pas à les envoyer promener, lui et son argent !

Après le dîner, comme le crépuscule tombait, Joanna prit donc le chemin de l'immeuble. A mesure qu'elle approchait, son embarras redoublait à l'idée d'affronter Kris Slavik. Elle n'était pourtant pas responsable de la ridicule initiative de sa mère...

Joanna soupira. S'il décidait de partir, elle se retrouverait avec des locaux vides et aucune perspective d'avenir. Elle n'espérait pas grand-chose du visiteur de la soirée.

La porte ouverte découpait un rectangle de lumière dans la façade de l'immeuble. Sous le porche, elle devina une silhouette assise sur le banc de séquoia.

— Monsieur Slavik ?

— C'est moi.

Quand il se déplia, elle fut une fois de plus surprise par sa taille.

— Je viens vous présenter mes excuses.

— Inutile, pour peu que vous m'appeliez par mon prénom. Quand on me donne du monsieur Slavik, j'ai toujours envie de me retourner pour vérifier que mon père ne se trouve pas derrière moi !

Il sourit. Il possédait une voix agréable ; du genre à faire rêver d'une soirée d'hiver à deux au coin d'un feu de bois ou de confidences sur l'oreiller.

— Ma mère s'est montrée totalement inconséquente en modifiant mon annonce. Je suis sincèrement désolée que son texte ait été aussi équivoque... Je suis prête à résilier votre contrat et à vous rembourser votre argent.

D'un pas nonchalant, Kris traversa le porche pour s'immobiliser près d'elle. Il se dégageait de lui une odeur délicieusement masculine. Pas un parfum artificiel de lotion après-rasage, non ; il s'agissait d'une odeur naturelle relevée d'une pointe de musc. Dans l'air tiède de septembre, elle agissait sur les sens de Joanna comme une caresse.

— Vos yeux sont bleus, n'est-ce pas ? demanda-t-il sans que le murmure de sa voix trouble la douce quiétude de la nuit.

— Oui.

Comme il faisait trop sombre pour qu'il pût en apprécier la couleur maintenant, il fallait qu'il l'eût remarquée lors de leur première entrevue, songea Joanna avec un frisson de plaisir.

— Savez-vous que chacun de vos yeux possède environ cent trente millions de cellules sensibles à la lumière ?

L'étrangeté de la remarque fit tressaillir Joanna.

— Je l'ignorais.

— Je crains de trop m'attacher à des détails futiles...

— Ce que nous apprenons ne doit pas nécessairement avoir des applications pratiques, assura Joanna.

— Hum... Dites ça à mes parents.

— Prenez l'exemple des grands poètes, Wordsworth, Shakespeare, Longfellow, pour n'en citer que quelques-uns ; leur message n'est pas exactement utile, et pourtant nos vies s'en trouvent enrichies. Et cela est vrai également pour les œuvres d'art.

Il fixait sur elle un regard pénétrant, un regard qui semblait détailler chacune des cellules auxquelles il venait de faire allusion.

— Je vois les étoiles se refléter dans vos yeux comme autant de diamants. Savez-vous que leur lumière voyage des centaines de milliers de kilomètres avant que nous puissions en saisir le reflet ?

Joanna déglutit péniblement.

— Je n'y avais jamais pensé.

— Moi non plus.

Quelle catastrophe ! Elle était irrésistiblement attirée par lui, alors qu'elle aurait dû s'enfuir à toutes jambes ! Le timbre chaud de sa voix qui résonnait non seulement dans ses oreilles mais aussi dans son cœur, solitaire depuis bien des années, la fascinait.

— A propos de la location..., commença-t-elle, tentant de revenir à une vision plus saine des choses.

— Si ça ne vous dérange pas, je préfère rester.

Ça la dérangeait. Instinctivement, elle sentait que cet homme qui n'était même pas capable d'assembler deux chaussettes identiques et se promenait avec une fortune en billets dans sa poche représentait une menace pour la paix de son esprit.

Et parce qu'elle avait désespérément besoin d'argent, elle se trouvait dans l'incapacité d'arrêter le cours menaçant du destin. Au fond d'elle-même, Joanna savait qu'il lui faudrait beaucoup de chance pour s'en sortir indemne.

— C'est le plus petit des deux bureaux qui restent, expliqua Joanna à son locataire potentiel.

Elle avait réussi à éviter l'endroit — et Kris Slavik — durant deux jours. Cependant, elle ne pouvait se permettre de laisser vacants les locaux, pas avec les factures qui s'amoncelaient et le toit à réparer.

— Vous remarquerez que le bureau est bien aménagé, avec un grand espace de stockage à l'arrière et une petite pièce...

Percival Carter jetait des regards nerveux autour de lui, comme s'il lui en coûtait beaucoup de prendre une décision.

Il avait la quarantaine, un visage étroit, de rares mèches de cheveux soigneusement ramenées sur un front clairsemé dans le vain espoir de dissimuler une calvitie, et un costume à plastron croisé d'un marron assorti à la couleur de ses yeux globuleux, le tout semblant provenir d'une autre époque.

— Ma mère apprécierait certainement.

— Elle travaille avec vous ?

— Oh, non ! Du moins, pas régulièrement. Elle m'aide à classer des documents de temps à autre. Vous comprenez, je n'ai pas une clientèle suffisamment développée pour employer du personnel. Il y a peu de demandes pour un expert-comptable diplômé, ici, dans les montagnes. Mais maman m'encourage vivement à louer un de vos bureaux.

— C'est gentil de sa part. J'espère que vous vous plairez ici.

— Oh, j'en suis sûr, mademoiselle Greer ! Je suis célibataire, vous voyez.

Le moral de Joanna chuta soudain.

— Monsieur Carter, je crains qu'il ne s'agisse d'un malentendu...

— C'est ma mère qui...

— La formulation de l'annonce vous a induit en erreur.

En apercevant la silhouette haute et déliée qui se profilait dans l'embrasure de la porte, Joanna retint son souffle.

— Permettez-moi de m'inscrire en faux. Comme annoncé, la propriétaire est jolie, intelligente, et élève seule un gentil petit garçon à l'esprit vif et curieux.

Un sourire nonchalant, délicieux et plein de *suffisance* étira les lèvres de Kris Slavik.

Joanna lui aurait volontiers jeté quelque chose à la tête ; à moins qu'elle ne parvienne à se faufiler dans un trou de souris...

— Veuillez nous laisser, monsieur Slavik. Nous discutons affaires.

— Pas de problème.

Kris glissa un bras autour des épaules du nouveau venu qui paraissait minuscule près de lui.

— Si Percy et moi devons devenir pour ainsi dire voisins, mieux vaut que je lui signale tout de suite quelques petits trucs. Comme de ne pas se garer sous les arbres s'il ne veut pas voir la peinture de sa voiture endommagée en un quart d'heure par des oiseaux ayant ingurgité des baies bien mûres.

— Kris ! Voulez-vous bien vous taire !

— Aucune importance, mademoiselle Greer...

Percy lui sourit avec une touchante maladresse.

— Depuis que je vous ai vue, rien ne pourra me dissuader de louer. D'ailleurs, ma mère ferait une crise d'apoplexie si je laissais passer cette chance. Elle est impatiente de me voir marié et de connaître son premier petit-enfant avant de mourir. Non que j'espère entrer en compétition avec ce gentleman. Vous formez un couple charmant, tous les deux.

Joanna foudroya Percy du regard.

— Nous ne formons pas un couple ! Il a payé un an de loyer d'avance, c'est pourquoi je suis embarquée dans la même galère que lui ! Mais nous ne sommes rien l'un pour l'autre !

Percy se tourna vers Kris.

— Je vous suis reconnaissant de m'avoir prévenu. Je ne voudrais pas que ma voiture subisse d'irréparables dommages.

— Nous nous comprenons, mon vieux.

— Attendez ! s'écria Joanna, comme les deux hommes s'apprêtaient à sortir. Comptez-vous louer, monsieur Carter ?

— Naturellement ! Préparez-moi le contrat ; je vous apporte un chèque demain matin, à la première heure.

Joanna poussa un long soupir. Kris Slavik était décidément source de tracas. Comme s'il ne suffisait pas qu'il agisse de manière possessive vis-à-vis d'elle, sa présence la troublait de manière inconsidérée. Habituellement, elle gardait ses distances avec les hommes, même avec ceux qu'elle jugeait attirants. N'étant ni candidate au mariage ni partante pour une aventure, elle mettait un point d'honneur à ne pas leur donner de faux espoirs.

Cependant, Kris était différent. Il semblait sourd à toutes ses mises en garde.

Il recommençait.

Les mâchoires de Joanna se crispèrent tandis qu'elle faisait visiter les lieux. Agent immobilier venant tout juste d'obtenir sa licence, Larry Smythe était grand, brun de cheveux et de peau, bel homme et beau parleur.

Kris Slavik épiait tous leurs mouvements. Il avait échangé son jean contre un autre, tout délavé, la fermeture Eclair à moitié décousue, mais sans déchirure. Joanna le soupçonnait de porter aujourd'hui une chaussette bleue et une marron. Apparemment, il enfilait les premières qui lui tombaient sous la main.

Larry examinait d'un œil critique les abords du bâtiment ainsi que le chassis des fenêtres.

— Naturellement, je ferai installer un purificateur d'air. Avec la route toute proche, je n'ai pas envie de m'intoxiquer.

— Vous intoxiquer? s'étonna Joanna.

— Ça ne me gêne pas, marmonna Kris.

Larry exhiba dans un sourire sa parfaite dentition.

— Les gens ne comprennent pas que même lorsque l'air semble pur, il nécessite un filtrage pour éviter tout risque de contamination par le pollen ou le plomb. Ça paie toujours d'être attentif à sa santé.

Il tapota son estomac et se redressa.

— Je filtre également mon eau.

— Comme vous voudrez, dit Joanna.

— J'aurais cru qu'un agent immobilier s'installerait en pleine ville, fit remarquer Kris.

Il donna un coup de pied dans le ciment ébréché d'une marche, faisant sauter un éclat.

— Je projette de m'intéresser aux gens fraîchement débarqués à Twain Harte, répliqua Larry. Et puis le bouche à oreille est encore la meilleure publicité que je connaisse. Et je compte bien être le meilleur.

— Evidemment, grommela Kris.

Il enfouit ses poings dans les poches arrière de son jean. Ce type lui rappelait les athlètes de l'école, ceux qui lui avaient donné du fil à retordre avec leurs épaules trop larges, leur ventre trop plat et leur cerveau trop petit. Malheureusement, les filles en raffolaient; surtout les jolies filles comme Joanna qui, d'après ce que Tyler lui avait raconté, avait été capitaine d'équipe au lycée.

Sûr de son charme comme de son talent pour les affaires, Larry ne semblait pas appartenir à la catégorie de ceux qui se laissent intimider. Non, il ne renoncerait pas facilement. Seulement, n'est-ce pas, pour peu qu'on cherche, tout le monde a ses faiblesses...

Très jeune, Kris avait appris que, pour parvenir à ses fins, la ruse valait souvent mieux que la force. S'il voulait avoir ses chances avec Joanna, il lui fallait conserver une légère avance sur ce bon vieux Larry Smythe. Ce ne serait sans doute pas chose facile, cependant, Kris était tout à la fois déterminé et confiant.

3.

Kris abaissa la visière de son masque protecteur et approcha l'extrémité du bec de la lampe à souder du cadre de la bicyclette. Avec un sifflement aigu, l'arc d'un bleu blanchâtre jaillit. Le transformateur ronronnait derrière lui, et l'atmosphère du garage s'emplit d'une odeur piquante d'aluminium brûlant.

Du coin de l'œil, Kris vit soudain approcher une paire de jambes longues et minces, et il dut faire un effort pour terminer d'une main ferme ce qu'il avait entrepris.

— Bonjour ! L'école est déjà finie ?

Kris releva sa visière et sourit à Joanna. La réalisation de son projet l'avait tellement absorbé qu'il n'avait pas vu le temps passer.

— Je suis toujours ravi que ma propriétaire me rende une visite de politesse.

— J'ai entendu ce ronronnement...

Elle désigna le transformateur.

— ... et j'ai craint qu'il n'y ait un problème. L'installation électrique est vétuste.

— Non, tout va bien.

— Tant mieux. Avec un seul centre de pompiers volontaires à Twain Harte, tout le monde ici redoute les incendies.

Elle examina avec curiosité l'étrange assemblage.
— C'est votre fameux V.T.T. deux places ?
— Le prototype. Je commence avec de l'aluminium et quand tout sera au point, je passerai à la fibre carbone. C'est plus léger.
— Et plus coûteux.
— Exact.
Joanna hocha la tête.
— Enfin, ça vous regarde.
— Rappelez-vous : si mon invention marche, je serai millionnaire ! Le Alexander Graham de la pédale !
La plaisanterie amena une ébauche de sourire sur les lèvres de Joanna. Elles étaient fermes et harmonieusement dessinées, constata Kris. Rêveusement, il se demanda si elles étaient aussi bonnes à embrasser qu'il y paraissait et décida que le sujet valait la peine d'être creusé.
— Avez-vous déjà pratiqué le vélo tout-terrain, Kris ?
— Un peu. J'ai participé à des courses à Mammoth cet été.
Joanna haussa les sourcils.
— Vraiment ?
— Je me suis classé dans les vingt premiers de ma catégorie. Si j'avais eu davantage de temps pour m'entraîner, j'aurais pu faire mieux.
— Vous m'impressionnez, dit Joanna avec un sourire approbateur. Seulement, je ne saurais trop vous conseiller de ne pas mettre tous vos œufs dans le même panier. J'ai du mal à voir en quoi votre bicyclette diffère d'un bon vieux tandem.
— Mais enfin, Joanna, elle sera infiniment plus romantique ! Imaginez-vous en train de discuter avec votre petit ami alors que vous pédalez côte à côte...
— Un inventeur romantique ? s'exclama Joanna. Vous ne rentrez décidément pas dans le moule.

— C'est vrai, confessa-t-il.

Pour tout dire, il ne s'était jamais senti comme les autres : plus jeune que ses camarades de classe, il était dispensé de sport par ses parents et mal à l'aise avec les femmes parce qu'il ne savait pas leur parler. D'aussi loin qu'il se souvienne, sa différence pesait comme un fardeau sur ses épaules. Et en ce moment, il aurait donné tout ce qu'il possédait, c'est-à-dire au bas mot vingt millions de dollars, pour que son interlocutrice le considère comme un type ordinaire. Malheureusement, en amour, il manquait de la confiance en lui qui le caractérisait dans les autres domaines.

Sous le regard scrutateur de Kris, Joanna s'agita. Il se comportait de manière si déroutante avec elle, comme s'il était déterminé à passer outre ses défenses par la seule puissance de son esprit. Et il était intelligent, certes. En tout cas, elle n'était pas certaine d'apprécier cette façon qu'il avait de la déstabiliser; elle tenait par-dessus tout à rester maîtresse d'elle-même.

— Eh bien, puisque l'immeuble n'est pas réduit en cendres, je ferais mieux de vous laisser à vos occupations, déclara-t-elle.

Elle s'apprêtait à se retirer quand Tyler les rejoignit.

Elle fronça les sourcils.

— Que fais-tu ici si tôt?

— L'entraînement est annulé. Je crois que les Currant se sont encore disputés. Ils n'arrêtent pas!

Tyler lança le ballon en l'air et le rattrapa.

— Mme Scala m'a raccompagné à la maison.

— Heureusement qu'il s'est trouvé quelqu'un pour te reconduire, dit Joanna, mécontente.

Ce n'était pas sérieux de lâcher des enfants de cet âge dans la nature! Paul et Isabel Currant négligeaient de plus en plus leurs devoirs d'entraîneurs bénévoles. Dans ces conditions, l'équipe ne traverserait certainement pas la saison sans dommage. Or le football était la passion de Tyler. L'idée qu'il doive y renoncer à cause du mauvais climat régnant dans le couple des entraîneurs navrait Joanna.

Tyler contourna le vélo et toucha du doigt la soudure récente. Kris n'émit aucune objection. Il régnait entre eux une sorte de camaraderie toute masculine.

— J'aimerais bien que tu nous entraînes, maman.

Joanna écarquilla les yeux.

— Moi ? Mais je ne connais rien au football !

— Plus que Mme Currant, en tout cas. Elle ne sait même pas ce qu'est un ailier.

Joanna se rappelait vaguement. Le père de Tyler avait été un arrière extrêmement populaire au lycée. Et elle l'avait aidé à peaufiner sa stratégie.

— J'ai un peu oublié moi-même, mon petit tigre. Je préfère laisser la place à quelqu'un de plus qualifié.

— Et toi, Kris ?

Tyler lui lança le ballon.

— Tu ne voudrais pas essayer ?

Kris rattrapa maladroitement le ballon, puis l'étudia comme s'il se fût agi d'un objet tombé de l'espace.

— Ce ne serait pas une bonne idée, fiston. Peut-être que vos entraîneurs vont se réconcilier...

D'une main mal assurée, il retourna le ballon à Tyler.

— On peut toujours espérer, dit l'enfant, résigné.

La gorge de Joanna se serra. Si tout s'était passé comme elle l'avait rêvé, dix ans plus tôt, Tyler aurait aujourd'hui un père pour diriger son équipe et lui enseigner l'art de la stratégie. A dix-huit ans, cependant, elle ignorait qu'un rêve vole plus vite en éclats qu'une bulle de savon. Quand elle avait annoncé sa grossesse au garçon qu'elle croyait aimer, il lui avait clairement expliqué qu'il faudrait être fou pour songer à se lier avec une personne issue d'une famille de déséquilibrés...

Tyler baissa les yeux sur la bicyclette.

— Qu'est-ce que tu fabriques avec ça ?

— Je voudrais obtenir un système de suspensions indépendantes pour davantage de confort, répondit Kris. Tu veux voir comment ça marche ?

— Bien sûr !

Leurs deux têtes blondes penchées sur le vélo, ils se mirent à discuter avec animation de choses que Joanna saisissait mal. Puis Kris ramassa sur un établi en désordre un manuel dont il feuilleta les pages, s'arrêtant de temps à autre pour appuyer ses explications d'un schéma.

Se sentant de trop, Joanna se glissa hors du garage sans qu'aucun des deux s'en aperçoive.

C'était préférable ainsi. Tyler avait besoin de s'identifier à un modèle masculin ; or elle-même refusait de s'attacher à Kris. Il n'existait aucun avenir de ce côté. Seulement la perspective d'être repoussée et de souffrir.

Durant la semaine, Joanna tenta d'initier vingt-huit élèves de cours élémentaire aux rudiments de l'histoire américaine, comparant la culture indienne au récent souci de protection de la nature. Comme elle dut subir en outre deux réunions avec le principal ainsi qu'un rendez-vous avec un parent furibond qui ne croyait pas aux vertus du travail à la maison et encore moins à celles d'une fréquentation scolaire assidue, elle n'eut pas le temps de penser à son nouveau locataire. Du moins jusqu'au samedi, quand Agnès lui annonça ses projets pour la soirée.

— Tu sais, Kris est vraiment cool, maman, déclara Tyler.

Perché sur le bar de la cuisine, il faisait passer son ballon de foot d'une main dans l'autre. Doté d'une énergie intense, il parvenait rarement à rester assis sur une chaise.

— Peut-être, mais ta grand-mère n'avait pas à l'inviter à dîner sans me demander mon avis !

Comme pour renforcer son propos, Joanna reposa brutalement son couteau sur les pommes de terre qu'elle venait de découper en tranches pour accompagner le rôti qui cuisait déjà dans le four. Elle rageait de devoir consacrer une partie de son temps libre du week-end à ranger la maison et à concocter un repas pour les invités de sa mère.

Bien sûr, elle aurait pu refuser de participer à cette comédie ; seulement sa mère s'était mise dans un tel état quand elle avait menacé de ne pas assister au repas qu'elle avait fini par céder. Agnès frôlait parfois l'hystérie, surtout depuis la mort de son mari car le chagrin avait accentué la bizarrerie de son comportement.

— Mamie dit qu'elle veut seulement entretenir des relations de bon voisinage.

— Jouer les entremetteuses serait plus exact !

— Elle a invité les deux autres aussi. Ce vieux coincé de Percy et...

— Ne parle pas comme ça de lui, Tyler. Percy est un monsieur très gentil. Il est juste un peu timide.

— Ce n'est pas le cas de l'autre ! Larry est un vrai monsieur je-sais-tout. Il n'arrête pas de me répéter que j'ai une mère exceptionnelle.

Joanna glissa à son fils un regard intéressé.

— Et Kris ? Il ne parle pas de moi ?

— Tu parles ! Nous discutons de sujets importants.

— Je suis ravie de l'apprendre...

Joanna trouva stupide l'irritation qui l'envahissait. Pourquoi, grands dieux, Kris aurait-il parlé d'elle à

Tyler ? Elle devrait au contraire s'estimer heureuse qu'ils partagent d'autres centres d'intérêt. D'ailleurs, elle avait réussi à éviter son locataire ces derniers temps. Et si son regard dérivait vers son atelier quand elle passait dans la rue, c'était tout à fait par hasard.

De toute évidence, Kris ne s'intéressait pas plus à elle qu'elle ne s'intéressait à lui. Depuis qu'elle avait décliné son invitation à dîner, il ne l'avait pas relancée.

Tyler se laissa retomber sur ses pieds et prit une olive sur le plateau à apéritif.

— Je lui apprends les doubles passes. Il n'est pas très doué. Tu te rends compte : il n'avait pas le droit de jouer au foot quand il était petit !

Compte tenu de sa forme physique et de ses prouesses cyclistes de l'été, le fait surprit Joanna. Elle aurait cru qu'il excellait dans toutes les disciplines sportives. C'était un être vraiment déconcertant. Un instant, il flirtait avec elle, sans se soucier qu'elle eût ou non envie de le voir ; ensuite, il l'ignorait durant plusieurs jours d'affilée.

Et malgré tout, elle ne parvenait pas à le chasser de son esprit.

Kris s'arrangea pour arriver chez Joanna avant ses rivaux. Une allée cimentée courait entre des plates-bandes bien entretenues et encore gaiement fleuries de roses tardives. La maison, modeste construction de bois récente, se nichait au milieu des pins. Un porche donnait sur le jardin qui séparait la maison de la rue. A l'arrière, une pente boisée s'élevait vers le sommet d'une crête.

« On dirait le chalet de Boucle d'or », songea Kris. La maison ne ressemblait en rien aux froids appartements perchés dans des tours où il avait passé son enfance. Une ambiance chaleureuse s'en dégageait, et il envia Joanna, qui avait certainement eu une enfance plus idyllique que la sienne. Même les alléchantes odeurs de cuisine qui s'échappaient de la fenêtre ouverte lui rappelaient ce qu'il n'avait pas connu, les talents culinaires de sa mère étant très limités. Le toit de la maison était curieusement festonné de moulins à vent représentant canards, coqs et autres étranges animaux de bois dont les bras tournoyaient à la moindre brise. Intéressantes constructions, se dit Kris, se demandant si ces minuscules éoliennes ne pourraient pas alimenter la maison en électricité.

— Alors, mec, comment ça va ? s'exclama Tyler en l'apercevant.

Ils échangèrent une solide poignée de main.

— Aussi bien qu'il y a deux heures !

— Tant mieux.

Le sourire de l'enfant rivalisait d'éclat avec celui, plus rare, de sa mère.

— Entre. Maman est dans tous ses états parce que mamie vous a tous invités à dîner !

Kris trouvait également l'idée farfelue. Une invitation personnelle eût de loin été préférable. L'idée de partager Joanna avec deux célibataires entreprenants lui déplaisait. Enfin, il savait depuis longtemps qu'on n'obtient rien sans peine.

— Entrez, mon cher Kris ! susurra Agnès.

Bras tendus, elle traversa la salle de séjour, sa longue jupe balayant le sol, ses bracelets tintinnabulant à ses poignets comme ceux d'une danseuse tsigane.

— C'est gentil à vous d'être venu si tôt !

— L'appât d'un bon dîner !

— Je comprends. Et Joanna est excellente cuisinière. Vous l'avais-je dit ? Elle ferait une épouse parfaite, vous savez. Elle est bourrée de talents.

Kris réprima un sourire.

— Grâce à vous, Agnès. Je suis sûr que vous vous êtes révélée un excellent professeur.

— Mamie fait des cookies délicieux ! intervint Tyler. Surtout quand elle oublie qu'elle a déjà mis du chocolat et qu'elle en rajoute une dose !

— Assez de flatteries, jeune homme.

Riant d'un rire haut perché d'adolescente, Agnès prit le bras de Kris.

— Mon défunt mari ne se plaignait pas de ma cuisine. A l'occasion de Thanksgiving, lui et moi avons un jour servi plus d'une centaine de repas à des familles nécessiteuses. J'ai dû rôtir une vingtaine d'oies. Les grands fours de la cantine de l'école ont fonctionné des jours durant. Ah ! C'était le bon temps...

Sans savoir pourquoi, Kris se réjouissait d'apprendre que les parents de Joanna avaient aidé leur prochain. Les siens se contentaient de signer de substantiels chèques pour soulager leur conscience, mais se préservaient soigneusement de toute promiscuité avec la misère. Cette année, pour Thanksgiving, au lieu de rester chez lui, il aimerait prêter main forte à une association de bénévoles se préoccupant de nourrir les sans-abri ; et, qui sait, Joanna accepterait peut-être de se joindre à lui.

Justement, cette dernière parut sur le seuil de la porte de la cuisine sans pour cela que sa mère, peu soucieuse qu'on l'écoute ou non, cesse son bavardage.

Kris la détailla avec curiosité. Les cheveux attachés sur la nuque, les joues rougies par la chaleur du feu, elle respirait la santé et aussi autre chose, que Kris ne parvenait pas à définir. Tout ce qu'il savait, c'était qu'elle était une charmante créature qui valait la peine qu'on se penche sur son cas.

— Vous êtes en avance, constata-t-elle, scrutant son expression pour comprendre les raisons de cette impolitesse.

Kris croisa son regard.

— J'espérais que vous auriez besoin d'un goûteur de plats.

— Tyler s'en charge volontiers.

— Oui, oui ! s'exclama le jeune garçon. Est-ce que je peux commencer par le dessert ?

Joanna jeta à son fils un regard de réprimande.

— Je vais me changer, annonça-t-elle.

— Vous êtes parfaite comme ça ! s'exclama Kris sans s'embarrasser de détours.

Et il était parfaitement sincère. Le débardeur de Joanna épousait la forme de ses seins légers et qui semblaient avoir été créés pour la paume de l'homme ; son short moulait des hanches faites pour l'étreinte. Une plastique superbe, pensa Kris. Il l'imaginait difficilement plus belle, sauf nue et blottie dans ses bras. Mais il n'avait pas le droit de penser à ça alors que Tyler et Agnès se trouvaient dans la pièce...

Comme si elle avait deviné qu'il la déshabillait en pensée, Joanna rougit.

— Tyler et maman vous tiendront compagnie pendant ce temps...

Elle vola vers l'escalier, et Kris la regarda onduler des hanches. Il soupira. Pas question de craquer alors qu'il était jusqu'à présent resté maître de lui-même.

— Ils passent un match à la télé, dit Tyler. Tu veux regarder ?

Kris s'arracha péniblement à sa contemplation.

— Seulement si tu le commentes pour moi. Je n'y connais vraiment rien.

— Je vais t'apprendre.

A l'aide de la télécommande, Tyler mit l'appareil en marche.

— Je sors arroser mes plantes, déclara Agnès. Il fait

exceptionnellement chaud pour la saison. Je me souviens, une année...

Elle s'éloigna, accompagnée du murmure de son bavardage et du tintement de ses bracelets.

Il n'aurait pas dû venir si tôt...

Dans le vain espoir de rafraîchir ses joues brûlantes, Joanna s'aspergeait le visage d'eau. Elle qui ne rougissait jamais... Jamais du moins jusqu'à l'arrivée de Kris à Twain Harte.

Ça n'aurait guère eu d'importance que Percy la surprît en short et débardeur, ni même Larry. Cependant, contrairement aux deux autres, Kris avait le don de la troubler. Rien n'échappait au regard de ses yeux diaboliquement perçants. Il avait bien sûr remarqué sa rougeur, et la confusion de ses pensées. Sous son regard, elle s'était sentie ridicule.

Jamais elle ne s'était comportée ainsi avec un homme. En tout cas, pas depuis que le père de Tyler lui avait déclaré qu'il ne prendrait pas femme dans une famille dont ses parents ou lui-même auraient à rougir.

La gorge de Joanna se serra. Si l'on considérait le comportement parfois extravagant de ses mère et grand-mère, l'accusation ne manquait pas de fondement. Quant à son père — Dieu ait son âme —, c'était également ce qu'on appelle un original. Pas étonnant que le père de Tyler ait craint qu'elle n'ait hérité de certains travers peu enviables.

Lorsque Joanna regagna la salle de séjour, Agnès y faisait salon avec ses trois invités. A son entrée, les rires se tarirent et trois paires d'yeux admiratifs se braquèrent sur elle. Elle sentit ses jambes la trahir.

Larry se précipita à sa rencontre.

— Vous êtes superbe, Joanna. Je complimentais justement votre mère sur...

« Dites plutôt que vous la flattiez », pensa Joanna, écoutant, un sourire crispé aux lèvres, Larry faire l'éloge de la maison et expliquer qu'il en avait récemment vendu une semblable, un bon prix, alors que le marché était très calme.

Dès que Larry lui en laissa l'opportunité, Joanna salua Percy.

— Avez-vous terminé votre emménagement ? s'enquit-elle.

— Pas tout à fait. Maman voudrait que je confie la décoration à un professionnel. Elle envisage de faire poser une moquette mauve.

— Mauve ! s'exclama Larry. Jamais de la vie ! Ce qu'il vous faut, c'est du vert sapin. Les tons roses sont démodés, n'est-ce pas, Joanna ?

Voyant les épaules de Percy se tasser, cette dernière lui adressa un sourire d'encouragement.

— Un décorateur sera certainement plus qualifié que moi pour trancher. Mais je suis certaine que, le moment venu, Percy prendra la bonne décision.

— Qu'importe la couleur de sa moquette ! s'exclama Kris. Grâce aux conseils de Percy, j'ai économisé un bon paquet de dollars sur mes impôts.

Remarque qui, pour un temps, réduisit Larry au silence.

— En fait, reprit Kris, souriant à la mère de Joanna, je parie qu'Agnès serait ravie d'aider Percy s'il veut éviter de louer les services d'un décorateur.

— Quelle charmante idée ! s'exclama Agnès.

Joanna faillit s'étrangler. Kris devait être fou. Ne voyait-il pas l'excentricité de la tenue qu'exhibait sa mère ? Sa robe rayée rouge et vert ornée de fleurs orange aurait fait grincer les dents de n'importe qui.

Après s'être éclipsée pour mettre la dernière main au dîner, Joanna déclara qu'il était temps de passer à table. Ayant surmonté sa déconvenue, durant tout le repas, Larry monopolisa la conversation. Quand arriva l'heure du dessert, un violent mal de tête menaçait Joanna. Sa mère n'aurait jamais dû inviter leurs trois locataires à la fois. Un seul aurait suffi; du moins, s'il s'était agi de Kris, songea-t-elle en soupirant.

Kris se refusait énergiquement à abandonner le terrain à Larry. Le dîner était terminé depuis un moment, et Tyler s'était évanoui dans la nature, ainsi qu'Agnès. Depuis une bonne demi-heure, Percy avait regagné le domicile maternel; seul Larry s'attardait.

Kris étira ses jambes, posa les pieds sur la table basse et se rembrunit. Il aurait sans doute fait meilleure impression sur Joanna s'il n'avait porté ce jean délavé et ces tennis éculées. Trop tard toutefois pour y penser. Pour l'heure, il devait mettre au point une stratégie pour décourager un certain hypocondriaque de sa connaissance.

— Que pensez-vous du jardin d'Agnès, Larry?

Larry pencha la tête.

— Tout à fait charmant. On dirait l'œuvre d'un paysagiste. Il donne de la valeur à la propriété, vous savez.

Croisant les doigts, Kris hocha la tête d'un air entendu.

— Connaissez-vous une pièce qui s'appelle *Arsenic et vieilles dentelles*?

— Si je me souviens bien, il s'agit de deux vieilles dames qui assassinent leurs locataires, c'est ça?

— Et les enterrent dans leur jardin.

Le silence s'épaissit dans la pièce.

— Que voulez-vous dire? demanda enfin Larry.

— Le père de Joanna est décédé il y a deux ans. Je me demande où elles l'ont enterré.

Larry blêmit.

— Vous n'insinuez tout de même pas que... ?

Kris prit un air évasif.

— Qui sait ? N'avez-vous pas remarqué que les roses sont particulièrement belles, comme si elles avaient reçu une bonne dose d'engrais ?

Larry se leva et se mit à arpenter la pièce à grands pas.

— Vous n'imaginez pas qu'elles ont mis quelque chose dans le repas ?

— Je n'éprouve aucun malaise. Seulement je n'ai pas mangé de brocolis. Je déteste ça.

Larry porta ses mains à sa gorge.

— C'est un de mes légumes favoris. J'ai mentionné le fait à Agnès l'autre jour...

— Le goût très prononcé peut en masquer un autre...

Kris se redressa.

— Mais vous préférez ne pas entendre parler de ça, je suppose.

Le regard de Larry fit le tour de la pièce.

— Pouvez-vous souhaiter une bonne nuit à Joanna de ma part ? Je ne me sens pas très bien.

— Pas de problème, mon vieux. Je lui dirai combien vous avez apprécié la soirée.

Deux secondes plus tard, Larry s'enfuyait.

En souriant, Kris se carra dans son fauteuil. A condition de lui en donner l'occasion, l'intelligence triomphait toujours de la force.

Ravi de sa victoire, Kris s'apprêtait à reposer ses pieds sur la table basse quand un épouvantable grincement métallique lui parvint de la cuisine, suivi d'un juron fort peu féminin. Il sourit avec suffisance. La jeune femme avait besoin d'aide ; et il tombait à pic !

4.

Kris passa la tête par l'entrebâillement de la porte de la cuisine.

— Un problème ?

— Aucun dont un bon plombier et deux cents dollars ne puissent venir à bout, répliqua Joanna. Le broyeur d'ordures vient de rendre l'âme.

— Hum. C'est ennuyeux.

— Je le savais malade, mais pas à ce point.

D'un revers du bras, elle repoussa des mèches tombées sur son front, et Kris regretta de ne pas l'avoir fait lui-même.

— Mon père réparait tout à la maison, reprit-elle. Je ne connais même pas de plombier.

— Je peux m'occuper de la réparation, si vous voulez.

Elle le considéra d'un air dubitatif.

— Vous vous y connaissez en plomberie ?

— Qu'y a-t-il à connaître ? Ce n'est pas comme s'il s'agissait d'astronautique.

Encore qu'il en sache plus long sur les courbes paraboliques et les mises en orbite que sur la façon de tenir une clé à molette. Mais enfin, il en avait manié une ou deux par le passé ; il se débrouillerait.

— Je ferais peut-être mieux d'appeler quelqu'un...

— Trop tard pour aujourd'hui. Et demain, c'est samedi. Dans la matinée, j'irai à Sonora acheter le nécessaire, et le problème sera réglé à l'heure du dîner.

— C'est-à-dire...

Comme il se penchait en souriant vers Joanna, cette dernière eut brusquement la sensation de manquer d'oxygène. Elle se trouvait coincée contre le bar. Il était si grand qu'elle devait renverser la tête pour le regarder. Bien que son expression soit tout sauf agressive, il n'en représentait pas moins une réelle menace.

Elle déglutit.

— Où est Larry ?

— Il a dû partir. J'ai l'impression qu'il ne se sentait pas très bien.

— Quel dommage...

Elle-même avait la tête qui tournait. Si seulement Kris avait bien voulu cesser de la dévisager avec cette intensité... On aurait dit qu'il l'observait au microscope !

— Il s'en remettra, ne vous tracassez pas pour lui.

Son regard s'attachait à ses lèvres...

— Savez-vous que dans la version du *Don Juan* de 1926, John Barrymore embrasse cent vingt-six fois Mary Astor et Estelle Taylor ? Et tout ça en l'espace de deux heures.

Joanna se troubla.

— Etonnant, répondit-elle d'une voix tremblante.

— Un vrai record !

La tête de Kris se rapprocha ; elle sentait presque la chaleur de ses lèvres sur les siennes.

— Un record, en tout cas, que je battrais volontiers.

Joanna aussi, à condition de dénicher le partenaire adéquat !

— En deux heures, c'est ça ?

— Tenir un tel rythme demande certainement de la pratique. A mon avis, il faut commencer doucement.

— Probablement.

Elle songeait à un baiser long et voluptueux quand Agnès pénétra en coup de vent dans la pièce.

— Oh, le cher garçon est encore là ! s'exclama-t-elle. Moi qui croyais tout le monde parti.

Très maître de lui, Kris sourit en s'écartant légèrement.

— Maman..., parvint seulement à articuler Joanna.

— Ne vous dérangez pas pour moi, mes enfants. Je venais juste chercher mes pilules.

Elle se précipita sur le placard pour y prendre un verre.

— C'est bon d'avoir un homme à la maison, non ?

— Nous discutions de..., commença Joanna avant de s'interrompre.

Que dire ? Ils discutaient de baisers. D'un nombre vertigineux de baisers.

— Je proposais à votre fille de réparer demain le broyeur d'ordures, dit Kris.

Le visage d'Agnès s'illumina.

— Je te l'avais bien dit, Joanna. Kris est un garçon précieux. Un bricoleur, comme ton père !

Tout en parlant, elle se glissa entre les deux jeunes gens afin de remplir son verre d'eau.

— Je me souviens qu'Alexander tenait absolument à installer un Jacuzzi quand nous avons refait la salle de bains. Une véritable fortune ! Et quand il l'a mis en service la première fois, l'eau a giclé dans toute la pièce et a inondé les rideaux neufs. Quelle journée, mes enfants !

Elle rit, puis, découvrant le verre dans ses mains, le fixa d'un air troublé.

— Pourquoi me suis-je servi un verre d'eau ? Je n'ai pas soif.

— Tes pilules, maman.

Jetant un regard implorant à Kris, Joanna passa un bras autour des épaules de sa mère.

— Veux-tu que je t'aide à les trouver?

— Non, non! Tiens plutôt compagnie à ce charmant garçon.

— Je m'apprêtais à me retirer, Agnès. Mais je reviendrai demain effectuer la réparation.

Sur ces mots, il se pencha et déposa un baiser sur son front.

— Merci pour cette charmante soirée.

— Vous êtes le bienvenu ici, mon garçon. A tout moment.

Une telle gentillesse à l'égard d'une femme à l'esprit dérangé toucha Joanna. Une brusque envie de pleurer la saisit, de réclamer pour elle un peu de cette tendresse et quelques-uns des cent vingt-six baisers...

Tout réparer soi-même.

Le manuel s'étalait sur la table de la cuisine. Recroquevillé sous l'évier — position qu'il avait maintenue une bonne partie de l'après-midi —, Kris grommelait.

— Laissez tomber, dit Joanna. J'appellerai un plombier...

— J'ai presque terminé.

Devant tant d'obstination, Joanna grimaça.

— Les tuyaux sont probablement rongés. L'installation n'a pas été révisée depuis des années.

— D'après le livre, il n'y a pas de problème.

Un autre grognement. La clé à molette cliqueta. Kris jura.

— Ouh! Ce truc empeste.

Il se tortilla pour se dégager de sous l'évier, exhibant le broyeur comme un trophée. Des gouttes d'eau noirâtre étoilèrent son T-shirt.

— Attendez!

Joanna se hâta d'aller chercher un seau dans le placard à balais. Kris y déposa les pièces démontées en souriant comme un gamin. Eût-il obtenu une médaille d'or qu'il ne se serait pas montré plus fier.

— Je parie que vous ne m'imaginiez pas capable d'en venir à bout !

— J'avoue avoir eu quelques doutes. Mais à votre place, j'attendrai d'avoir installé le nouveau broyeur pour me vanter !

— Femme de peu de foi ! plaisanta-t-il.

Il ouvrit le carton contenant la pièce de rechange et le déballa.

— D'après les instructions, la pose est si simple qu'un enfant de cinq ans pourrait s'en charger sans problème.

C'était certainement vrai, se disait Joanna, deux heures plus tard, à condition toutefois que lesdites instructions aient été rédigées en bon anglais et non dans un galimatias approximatif.

Ils se réjouissaient d'entendre le broyeur ronronner plaisamment quand Tyler fit irruption dans la cuisine.

— Cette fois, nos entraîneurs nous lâchent pour de bon !

Il enfouit ses mains dans ses poches.

— La saison est fichue !

— Allons, petit tigre, dit Joanna, le serrant contre elle pour le réconforter, ça s'est déjà produit plus d'une fois.

L'enfant se dégagea.

— Oui, mais cette fois-ci, Paul part pour Oakland ! Cody dit que sa mère et lui vont aller passer quelque temps chez ses grands-parents, à Los Angeles, et peut-être s'y installer.

L'affaire semblait sérieuse.

— Il se trouvera bien quelqu'un pour les remplacer. Ce ne doit pas être si terrible de...

— Qui ? Tout le monde se défile ! La moitié des copains sont dans mon cas et n'ont pas de père. Et quand ils en ont un, il travaille à San Francisco et n'est libre que le week-end. Ou alors, il s'en moque complètement !

— Je me porterai volontaire, alors...

Joanna et Tyler se retournèrent d'un bloc.

Kris haussa les épaules.

— Ça ne doit pas être si dur d'entraîner une équipe de foot. Vous connaissez les règles, non ?

— Oui, fit Tyler, mais...

— Ta mère pourrait prendre en charge la partie psychologique, la motivation des joueurs et tout ça, et moi, tout ce qui concerne la stratégie et l'entraînement purement physique.

Kris coula un regard vers Joanna qui secoua la tête.

— Je n'ai pas le temps. J'ai des cours à préparer, des copies à corriger...

Et aussi une mère qui réclamait une attention constante, songea Kris.

— Je suis pris les lundis et jeudis soir, poursuivit ce dernier. Mais nous pourrions nous entraîner l'après-midi.

— Que faites-vous ? demanda Joanna.

Elle se rendit compte trop tard de son indiscrétion.

— Je suis pompier volontaire !

Un sourire creusa la fossette de Kris. Il paraissait si fier qu'elle crut qu'il allait éclater.

— A trois ans, j'ai affirmé à ma mère que je serais pompier ! Cependant, comme elle n'approuvait pas, j'ai changé mon fusil d'épaule. Je voudrais voir sa tête quand elle apprendra que j'ai finalement réalisé mon rêve. Et ce sera encore bien pire quand elle saura que j'entraîne une équipe de foot. Elle déteste le sport.

Joanna n'aurait sans doute pas dû accepter ; cependant,

Kris était si excité par la perspective qu'elle ne se sentit pas le cœur de refuser. En outre, le football était toute la vie de Tyler ; il eût été cruel de décourager les bonnes volontés.

— D'accord, dit-elle. Je participerai aux séances. Seulement ne vous en prenez qu'à vous-mêmes si nous finissons derniers du championnat !

— T'inquiète pas pour ça, maman. Les copains seront gonflés à bloc avec une aussi jolie nana pour s'occuper d'eux.

— Tyler !

Le rire moqueur de Kris accompagna celui de Tyler, et Joanna se demanda pourquoi elle s'était laissé embarquer dans une pareille histoire. Si elle était entièrement d'accord pour sacrifier un peu de son temps libre à son fils, elle n'avait pas songé que, par la même occasion, elle serait amenée à côtoyer celui qu'elle aurait dû précisément éviter.

— Vous allez faire deux tours de terrain en courant, ordonna Kris. Ensuite, nous passerons aux exercices d'assouplissement.

— Deux tours ! se lamentèrent les enfants.

— Avec les Currant, on n'en faisait qu'un ! argua l'un des joueurs.

— Nous sommes des footballeurs, pas des coureurs, se plaignit un autre.

— C'est vrai, ça, crièrent-ils à l'unisson.

En short et T-shirt, Kris fouilla dans la brassée de livres qu'il avait apportés sur le terrain.

— Dans *Soyez un bon entraîneur*, il est dit que la condition physique est la clé du succès. C'est l'équipe qui a la plus grande endurance qui...

— Oh là là ! s'exclamèrent en chœur les jeunes joueurs.

— Vous choisissez, mes enfants, intervint Joanna, très pédagogue. Si vous refusez d'obéir à M. Slavik et moi-même, nous renonçons à vous entraîner et votre saison est à l'eau.

Les grognements s'éteignirent tandis que, l'un après l'autre, les joueurs vaincus s'élançaient en courant vers l'autre extrémité du terrain.

Kris confia ses livres à Joanna.

— Gardez-les-moi, s'il vous plaît. Je reviens dans un instant.

— Où allez-vous ?

— Courir avec eux. Un bon meneur d'hommes ne doit exiger des autres que ce qu'il est capable de faire.

— Vous avez lu ça dans les livres ?

Kris sourit.

— Simple bon sens.

Il s'élança à longues enjambées et rattrapa bientôt le reste de la troupe. Joanna le vit échanger quelques mots avec les jeunes garçons. A sa surprise, même le moins athlétique d'entre eux intensifia son effort et bientôt l'équipe entière ressemblait à une mécanique bien huilée. Kris leur laissa à peine le temps de reprendre leur souffle avant d'enchaîner sur les exercices d'assouplissement. Ensuite, il les répartit en deux groupes, l'un constitué d'attaquants, l'autre de défenseurs, faisant confiance à l'instinct de certains joueurs pour organiser le jeu.

Après quoi, les cheveux et le T-shirt trempés de sueur, mais nullement essoufflé, il rejoignit Joanna qui les observait depuis le bord du terrain.

— Alors, qu'en pensez-vous ?

— Je suis impressionnée. Il vous a suffi de cinq minutes pour les mettre au pas. Vous n'avez pas besoin de moi.

— Là, vous vous trompez. Pourquoi croyez-vous qu'ils ont mis tout leur cœur à courir ?

— Parce que vous leur avez donné l'exemple.

— Vous n'y êtes pas du tout.

Une fossette se creusa dans la joue de Kris et ses yeux gris étincelèrent malicieusement.

— Je leur ai dit que vous aviez été capitaine d'équipe et que s'ils gagnaient le championnat, vous mettriez une jupe courte pour nous faire une démonstration.

— Vous leur avez dit ça ? Mais ça fait des années que...

Cependant, devant l'étincelle qui luisait dans le regard de Kris, Joanna s'interrompit.

— Vous me faites marcher, n'est-ce pas ?

— Peut-être ai-je seulement promis de les emmener à la pizzéria s'ils gagnaient.

Kris haussa les épaules.

— En tout cas, ça ne les dérangerait pas de vous voir en minijupe. Vous deviez être sensationnelle en meneuse.

— Cela fait si longtemps...

C'était avant, en effet, qu'elle n'apprenne à ses dépens que les rêves ne durent pas...

Le regard appréciateur de Kris la parcourut de la tête aux pieds puis remonta tranquillement vers son visage.

— A vous voir, on croirait que c'était hier.

— Eh bien...

Elle ravala son émotion et tenta de chasser ces mauvais souvenirs en relevant brusquement la tête.

— Ne devrions-nous pas observer les joueurs ?

— C'est déjà fait. Je vais changer le numéro sept. Il est rapide mais pas assez grand pour jouer à l'arrière. Bien guidé, il sera meilleur à l'attaque.

Joanna se demanda comment Kris était parvenu à cette conclusion alors qu'il paraissait uniquement préoccupé d'elle. Elle n'aurait su dire qui jouait à quelle place ni définir les aptitudes mais avait en revanche noté certains détails comme les fines rides qui plissaient le coin des yeux de Kris, ou la netteté du dessin de ses lèvres... Décidément, entraîner une équipe de football requérait plus de talent et de concentration qu'elle se le figurait.

— Qui est ce gosse assis tout seul là-bas ? demanda soudain Kris.

— Peter Ashford. Il est aveugle de naissance. Ses parents se sont toujours battu pour qu'il fréquente l'école comme les autres, et jusqu'ici, ça lui a très bien réussi.

Le front de Kris se plissa.

— Il assiste aux entraînements de football alors qu'il ne peut ni jouer ni suivre le jeu ?

— Il n'aime pas rester à l'écart, et puis il adore le sport. Durant les matchs, c'est le plus ardent supporter de l'équipe. Il suit le jeu à l'oreille. C'est stupéfiant.

— Ce gosse me plaît, dit Kris, soudain songeur.

Il rejoignit les joueurs afin de leur prodiguer conseils et encouragements. N'ayant jamais eu à relever un pareil défi, il admirait la ténacité de Peter et se demandait s'il n'existait pas un moyen de l'aider, bien que le jeune garçon semble fort capable de se débrouiller tout seul.

Il admirait également Joanna qui élevait seule son enfant. Tyler était très aimé de ses petits camarades, et très doué pour le sport. Il semblait étonnamment équilibré pour un enfant qui n'avait pas connu son père. Ce qui en disait long sur les talents d'éducatrice de sa mère.

Par-dessus son épaule, Kris jeta un coup d'œil à la mère en question, en discussion animée avec deux juges de touche qui faisaient la moitié de sa taille.

A la fin de l'entraînement, les joueurs étaient trempés de sueur et leurs vêtements souillés de poussière. Joanna serra son fils contre elle.

— Tu sembles épuisé, petit tigre.

Honteux de cette démonstration publique de tendresse, Tyler s'écarta vivement.

— Oh, ça va !

Joanna laissa retomber sa main. Elle souffrait de voir son fils grandir si vite. D'ici peu, il prendrait son indépendance et elle se retrouverait seule avec sa mère. Jusqu'à présent, la perspective ne l'effrayait pas trop, mais aujourd'hui...

Son regard glissa vers Kris.

— Tu dînes avec nous ce soir, hein, Kris ? supplia Tyler tandis qu'ils se dirigeaient tous les trois vers le parking.

— Ce n'est pas parce que Kris a accepté de vous entraîner qu'il va passer son temps avec nous, chéri, intervint Joanna. Il a sa vie.

Tout comme elle.

— En fait...

Kris s'immobilisa près de sa voiture, un sourire confus aux lèvres.

— ... j'ai raconté à Agnès que j'adorais le bœuf au chou ; et elle en a préparé pour ce soir.

Joanna se raidit. Son entremetteuse de mère avait encore frappé ! Quel dilemme. Refuser de partager son repas avec Kris paraîtrait mesquin, surtout après ce qu'il avait fait pour son fils. D'un autre côté, sa présence la perturbait terriblement. Elle n'avait pas le droit de s'abandonner aux désirs qu'il éveillait en elle. S'il savait toute la vérité sur sa famille, il s'enfuirait sans doute à toutes jambes.

C'était bien ainsi qu'avait réagi le père de Tyler, se souvint la jeune femme, un sourire amer aux lèvres...

⁂

Quand Joanna regagna sa chambre après le dîner, prétextant des devoirs à corriger, Kris accepta de jouer avec Tyler à un jeu vidéo. Ce dernier ignorait naturellement que Kris avait créé des logiciels de jeux infiniment plus perfectionnés que ceux qu'offrait la ludothèque de Twain Harte. Pour tout dire, la nouvelle génération de jeux virtuels était fondée sur un concept inventé par Kris.

Ce dernier tira une chaise et s'assit près de Tyler devant l'écran.

— Un type est enfermé dans une sorte d'entrepôt, expliqua Tyler en lançant le programme, et des extraterrestres le poursuivent. Tu disposes d'armes et de munitions et dois détruire ces monstres avant qu'ils t'attrapent.

— Ça paraît un peu violent, fit observer Kris.

Il connaissait ce jeu, qu'il trouvait dénué d'intérêt.

— Je sais. Maman ne le supporte pas. Seulement un copain m'en a fait une copie, tu comprends.

— C'est interdit, ça, mon vieux.

Il s'agissait probablement d'un logiciel piraté. La pratique était courante, mais décourageante pour le concepteur qui ne recevait pas un sou de ses efforts.

Un fusil apparut sur l'écran. Après lui avoir fourni de sommaires indications, Tyler laissa Kris commencer. Il ne fallut que quelques instants au jeune homme pour éliminer les monstres qui rôdaient autour de lui.

— Fantastique ! s'exclama Tyler, admiratif. Tu les as tous eus ! Et à une vitesse !

— J'ai beaucoup joué à des jeux comme ça. Ça aide.

— Oui, je suppose.

Kris n'avait pas eu l'intention d'impressionner ou d'humilier l'enfant. Il le sentait toutefois morose.

— Tu sais, ce logiciel n'exploite pas toutes les possibilités d'un ordinateur, même ancien comme le tien. Je pourrais t'en procurer un plus sophistiqué.

— Tu ferais ça ?

Kris haussa les épaules.

— Si ça te fait plaisir.

— Bien sûr. Seulement...

L'expression de Tyler s'assombrit.

— ... maman préfère que j'utilise mon ordinateur pour mon travail scolaire. Elle aimerait tellement disposer d'ordinateurs dans sa classe. Elle n'arrête pas de dire que c'est un outil pédagogique formidable, mais l'école n'a pas les moyens de s'équiper.

— Joanna n'a pas d'ordinateurs dans sa classe...

Kris était stupéfait. Il lui semblait que tout enfant avait le droit d'accéder à la technologie moderne.

— Je crois qu'elle peut utiliser ceux de la salle de science, mais juste dans certains cas.

« Déplorable », songea Kris. Il détestait l'idée que des élèves ne disposent pas de tous les outils nécessaires à leur éducation pour simple question financière.

L'argent n'était pas un problème pour lui. Ni l'accès à des stocks de matériel informatique à recycler. Etant donné son manque d'expérience en la matière, courtiser une femme lui paraissait beaucoup plus compliqué. Le peu d'empressement que manifestait Joanna à répondre à ses avances le frustrait. Dans l'arène de l'informatique, il était champion ; en ce qui concernait ses relations avec les femmes, il avait tout à apprendre.

5.

La porte s'ouvrit et le principal, un grand homme chauve, entra dans la salle de classe.

— Puis-je vous parler, mademoiselle Greer ?

— Naturellement.

Joanna se tourna vers ses élèves de cours élémentaire, qui avaient levé les yeux de leur travail en reconnaissant la voix du principal. Les interventions de M. Murdock n'annonçaient généralement rien de bon, se dit Joanna, encore qu'elle n'imaginait pas ce dont il pouvait s'agir.

— Continuez de copier ce qui est écrit au tableau, dit-elle à ses élèves. Ensuite, vous ouvrirez vos livres à la page 36 et commencerez à lire. Je reviens tout de suite.

— Un camion de livraison est garé devant notre porte, annonça M. Murdock après avoir refermé la porte. Le chauffeur prétend qu'il doit nous livrer cinquante ordinateurs, dont dix sont destinés à votre classe.

— Des ordinateurs pour ma classe ?

— Ils proviennent de chez Nanosoft Computerware. Savez-vous quelque chose à ce sujet ?

Joanna secoua la tête.

— Absolument rien. Je croyais que l'école n'avait pas les moyens d'acquérir de matériel pour le moment.

La décision d'équiper les classes était en effet repoussée d'année en année en dépit des requêtes continuelles des enseignants.

— C'est exact. Cependant, d'après le livreur, il s'agit d'un don.

Le Père Noël en plein mois d'octobre ! C'était presque trop beau pour être vrai.

— Etes-vous sûr que cela ne pose pas de problème ?

— Après consultation avec le directeur, nous avons décidé d'accepter le don. Si nos assurances sont adéquates, nous n'aurons aucun frais supplémentaire. Il faut cependant vous attendre à quelques perturbations.

— Pourquoi cela ?

— Le jeune homme refuse de livrer simplement les appareils comme je l'avais suggéré. Il paraît qu'il a reçu l'ordre exprès de les installer et de les mettre en marche.

Béni soit le généreux donateur ! Manifestement, il savait que personne à l'école ne possédait les aptitudes nécessaires à l'installation du matériel.

— Je bousculerai volontiers mon emploi du temps pour la bonne cause, dit Joanna.

Elle aurait fait n'importe quoi pour que ses élèves abordent le troisième millénaire avec des bases solides. Vraiment, l'école pouvait être reconnaissante au mystérieux donateur.

— Parfait, mademoiselle Greer.

Avec un hochement de tête dubitatif, M. Murdock massa son crâne luisant.

— Je ne vous cache pas que j'aurais préféré connaître l'origine de ces machines et les motifs de ce don. Je n'apprécie guère les surprises. C'est très déroutant...

Presque aussi troublée que le principal par cet événement, Joanna regagna sa classe. A l'instant où elle y pénétrait, la vision de Kris jouant avec Tyler sur son ordinateur, trois soirs plus tôt, s'imposa à son esprit. Ils s'étaient longuement attardés pendant qu'elle corrigeait ses copies.

Joanna fronça les sourcils. Ça n'avait pas de sens. Pourquoi Kris aurait-il agi ainsi ? Et d'ailleurs, comment un homme qui portait des chaussures trouées et conduisait une voiture antédiluvienne aurait-il eu les moyens de faire un don d'une telle importance ?

Tout de même. Elle envisageait d'avoir une petite discussion avec Kris en rentrant de l'école.

En dépit du dérangement occasionné par l'installation des ordinateurs, Joanna quitta la classe assez tôt pour pouvoir discuter avec Kris avant l'entraînement de football.

Elle gara sa voiture devant l'atelier. Dans la journée, on se serait cru en été, mais les soirées plus fraîches annonçaient l'automne, la saison des pluies et du vent. Joanna leva les yeux vers le toit. Il lui fallait à tout prix obtenir cet emprunt ! Wally Petersen ne pourrait le lui refuser à présent que les locaux étaient loués. Du moins, l'espérait-elle de tout son cœur.

Elle trouva Kris juché sur un des V.T.T. qu'il avait assemblés et qui se trouvaient sur cale.

— Vous iriez plus vite si les roues touchaient le sol, fit-elle observer en riant.

— Oh, bonjour !

Il descendit assez maladroitement à cause de la proximité de l'autre vélo.

— Tout sera prêt ce week-end. Je pensais que nous pourrions les essayer sur la voie de chemin de fer désaffectée. Comme ça, nous éviterons la circulation.

— *Nous* ?

— Mais oui. Nous partirons tôt le matin, avant la grosse chaleur du jour, et il nous restera encore plein de temps à consacrer au football.

— Je n'ai jamais donné mon accord pour cet essai, Kris. Je ne suis pas montée sur un vélo depuis des années.

— Justement ! Je veux vérifier que cet engin est utilisable par un néophyte. Du point de vue suspension et direction, ça devrait aller, mais pour ce qui est de l'équilibre...

Il examina son invention d'un œil critique.

— ... quelques modifications seront peut-être nécessaires.

— Ne serait-il pas préférable de l'expérimenter d'abord avec un cycliste chevronné ?

— Peut-être. Mais ce ne serait pas aussi drôle.

Il lui adressa ce sourire si désarmant, ce sourire qui devait lui permettre d'obtenir *tout* des femmes...

Cependant, Joanna résista. Il restait d'autres points à soulever.

— Nous en reparlerons. Dites, Kris, connaissez-vous Nanosoft Computerware ?

— Bien sûr. C'est une société informatique en pleine expansion. Leur chiffre d'affaires ne cesse de grimper.

— Pourriez-vous m'expliquer pourquoi cette société a fait don de cinquante ordinateurs à l'école primaire de Twain Harte ?

— Ils sont arrivés ? C'est fantastique !

Kris posa sa clé à molette.

— J'imaginais qu'il faudrait une semaine ou deux pour les sortir des entrepôts.

— Vous êtes à l'origine de cette affaire ?

— Euh, oui, en quelque sorte.

Il hésita.

— Je connais un peu le P.-D.G.

Un peu ? Pour obtenir une contribution aussi mirifique, Kris devait entretenir plus qu'une vague relation avec le directeur de Nanosoft !

— Nous avons été à l'école ensemble.

Le P.-D.G. serait donc un jeune homme ? Pas impossible, dans cette branche, conclut Joanna après un instant de réflexion.

— Avez-vous travaillé pour eux ?

— Oui. J'étais euh... dans les parages quand la société s'est créée.

— Mais vous avez perdu votre emploi ?

— Pas exactement. J'ai en quelque sorte pris ma retraite.

— Allons donc ! Vous êtes bien trop jeune pour ça.

— C'est ce que prétendait Chad, le P.-D.G. Seulement, personnellement, je ne voyais pas de raison de continuer à travailler.

— Hum. Oui, bien sûr.

Ça expliquait en tout cas le rouleau de billets ! Kris avait tout simplement pris ses économies et était parti. Sans famille à entretenir, il était bien libre d'agir à sa guise. Tout le monde n'a pas la responsabilité d'un enfant et d'une mère vieillissante.

— C'est très attentionné à vous d'avoir dirigé une telle opération. Les enfants sont fous de joie.

— Tant mieux. Autant que ces ordinateurs servent à quelque chose. Etant déjà obsolètes, ils sont invendables.

Il plongea ses mains dans les poches de son jean, l'air assez mal à l'aise.

— Je leur ai aussi demandé d'envoyer à Tyler quelques prototypes de logiciels de jeux. Rien de violent, rassurez-vous, ajouta-t-il très vite. N.C.C. évite le genre. Vous comprenez, j'ai remarqué l'autre soir que Tyler n'avait pas un grand choix de jeux...

— Il sera ravi. Je vous remercie.

— Ce n'est rien. Alors, et cet essai de dimanche ?

Joanna avait-elle le choix ? Pouvait-elle refuser ce modeste service à un homme qui avait rendu possible un don de plusieurs milliers de dollars et qui pensait avec tant de sollicitude à son fils ? D'autant qu'elle était incroyablement curieuse de voir fonctionner l'étrange invention et presque désireuse d'aider Kris.

— D'accord, mais seulement parce que je me sentirais coupable de ne pas vous prêter main forte...

Une expression triomphante illumina les traits de Kris, et elle le soupçonna d'avoir toujours su qu'elle accepterait. En quoi il n'avait pas tort.

Elle quittait l'atelier quand Larry arriva.

— Bonjour, charmante dame. Vous accepterez certainement de fêter l'événement avec moi ?

— Quel événement ?

— Une commande représentant un bon paquet de dollars !

Son éclatant sourire suait la vantardise.

— Une femme peut tomber plus mal que sur un gars comme moi. Je m'occuperai bien de vous, bébé. Vous n'avez qu'un mot à dire.

— Merci, Larry. Sans façon ! Je dois prendre en charge l'entraînement de l'équipe de foot de Tyler.

Elle était capable de prendre soin d'elle ; elle n'avait pas besoin d'un homme pour ça. Quant à ses besoins affectifs, ce n'était certainement pas un Larry, fortuné ou non, qui saurait combler le vide qui se creusait en elle.

Ensuite, ce furent Percy et sa mère qui se garèrent sur

le parking. Obèse et s'aidant d'une canne pour marcher, Mme Carter s'extirpa tant bien que mal de la voiture. Son fils dut l'aider à escalader les marches du porche et à pénétrer dans le bureau.

Percy était un homme doux et bon, reconnut Joanna. Il méritait d'être heureux. Cependant, rien en lui ne l'émouvait comme le faisait Kris.

Un cerf-volant rouge filait dans le ciel, au-dessus des pins. En l'apercevant, Joanna songea qu'elle aurait donné cher pour monter à bicyclette aussi aisément qu'il volait.

— Ça ne va pas, Kris, se plaignit-elle.

Ses doigts serraient si fort le guidon que ses jointures en blanchissaient, et son équilibre était si précaire qu'elle craignait qu'un coup de pédale ne la fasse basculer.

— Allons, encore un petit effort !

Ils tanguaient le long de la vieille voie ferrée, vestige de l'époque où l'on exploitait intensivement le bois dans la région. Rails et traverses ôtés, la voie servait maintenant de piste de randonnée à travers la forêt.

— Vous disiez que ce serait romantique !

Soudain, le pneu avant de Kris s'engagea dans une ornière ; celui de Joanna cherchant à le suivre, elle lutta pour maintenir son vélo droit et déséquilibra Kris par la même occasion.

Il posa un pied à terre et, à la force du poignet, ramena les deux engins sur la piste.

— J'ai sans doute méjugé de quelques problèmes techniques engendrés par la circulation côte à côte.

— De quelques-uns seulement ? s'exclama Joanna, se retenant de rire.

— De beaucoup, concéda-t-il.

La proximité des vélos, séparés par deux barres de métal de quelques centimètres de longueur, rendait les manœuvres malaisées. Leurs bras et leurs jambes nus ne cessaient de se frôler, et Joanna se disait qu'elle n'aurait jamais cru qu'une promenade à vélo pût représenter une expérience aussi sensuelle.

Epousant une déclivité du terrain, la piste tourna soudain et entama une descente. La brusque accélération prit Joanna par surprise. Avec un cri d'effroi, elle braqua, si fort pourtant que sa moitié d'engin s'immobilisa tandis que celle de Kris glissait en cercle jusqu'à ce que tous deux se retrouvent en travers du chemin. Déséquilibrée, Joanna atterrit mollement dans l'herbe du bas-côté, laissant l'aventure se poursuivre sans elle.

Des frissons de gaieté la parcouraient; enfin, elle donna libre cours à son hilarité.

Kris reprit le contrôle du V.T.T. Son programme d'essai ne se déroulait pas exactement comme prévu; cependant, le rire de Joanna résonnant dans la forêt valait toutes les inventions de la terre.

Il abandonna l'infernale machine et rebroussa chemin pour se laisser tomber à côté de la jeune femme secouée de fou rire. Fasciné, il observait son visage illuminé par la gaieté et se demandait s'il existait quelque chose de plus beau au monde.

— Je suis... désolée..., bredouilla Joanna, essuyant une larme. Je ne devrais pas rire. Après tout le mal que... vous vous êtes donné...

— Il y a sans doute des améliorations à apporter. C'est courant sur un prototype.

Ce qui l'était moins, c'était la jubilation qui envahissait soudain Kris.

— Sû... sûrement!

A ce moment, Joanna posa une main sur sa cuisse.

Bien que dépourvu de toute ambiguïté, le geste troubla violemment Kris.

— Je ne voudrais pas jouer les rabat-joie, Kris, mais si vous espérez faire fortune avec cet engin, il faudra revoir deux ou trois détails !

Kris feignit la contrariété, bien que la perspective de gagner quelques millions de dollars supplémentaires le laisse parfaitement indifférent.

— Ce serait dommage de voir tant d'efforts gâchés. Je pourrais peut-être le vendre à un clown dans un cirque ?

— Excellente idée, fit Joanna, riant de plus belle.

Cependant, comme Kris posait sa main sur la sienne, son rire se tarit. Kris retenait sa respiration ; elle n'esquissa pas un geste. La chaleur de l'étreinte fit courir des ondes de plaisir dans les veines de Kris qui faillit laisser échapper un gémissement.

Joanna passa sa langue sur ses lèvres desséchées. Comme sous l'effet d'un choc électrique, le corps de Kris se tendit. Il avait la sensation qu'un souffle suffirait à lui faire perdre tout contrôle.

— Il faut rentrer, dit Joanna, d'une voix qui ressemblait à un chuchotement dans l'immensité des bois.

— Pas encore !

Pour prévenir toute fuite, les doigts de Kris se refermèrent sur son poignet.

— Des mûres poussent plus loin sur le chemin. Nous pourrions en ramasser.

Il se leva et aida Joanna à l'imiter. La jeune femme fut tentée de refuser. Cependant, ramasser des mûres représentait un moindre mal par rapport à la folie qu'elle rêvait de commettre, c'est-à-dire se jeter dans les bras de Kris et l'embrasser à en perdre haleine.

Il l'entraîna donc sans trop de peine le long du chemin. Si seulement elle n'avait pas eu tant besoin d'argent, elle n'aurait pas été obligée de le garder comme locataire. Le rappel de ses soucis financiers barra son front d'une ride. La visite de la veille à son banquier s'était soldée par un nouvel échec.

— Quelque chose vous tracasse? s'enquit Kris.

— Rien de bien important.

— Il s'agit donc de votre gymnastique quotidienne?

Joanna le regarda sans comprendre.

— Vous ignoriez qu'il faut mobiliser quarante-trois muscles pour froncer les sourcils et seulement dix-sept pour sourire?

— Désolée. Je ne voulais pas me montrer désagréable.

— Expliquez-moi ce qui ne va pas. Vous ai-je déplu en quoi que ce soit?

— Non, non, pas du tout. C'est seulement que...

Elle lui retira sa main mais regretta aussitôt ce contact rassurant.

— Hier, j'ai rencontré mon directeur de banque. Ainsi que vous l'avez sans doute remarqué, le toit des bureaux est en piteux état.

— Je me suis interrogé à ce sujet, mais comme je ne suis pas expert en la matière...

— Le directeur non plus. Il semble penser que les réparations peuvent attendre l'étude de mon dossier, ce qui, selon lui, risque de prendre un bon mois.

Ils avaient atteint les buissons de mûres. Kris en cueillit une et la mangea.

— Il vous accordera le prêt?

— Il pense pouvoir répondre affirmativement. Seulement, un mois, c'est trop long. D'ici là, pour peu que le temps se mette à la pluie, tout se sera écroulé.

— De fait, le calcul ne paraît pas très rentable.

Kris cueillit une autre baie et la présenta à Joanna. Ses doigts frôlèrent les lèvres de la jeune femme comme elle les écartait pour accepter son offrande, et elle frémit de la tête aux pieds.

— Je venais souvent ici avec mes amis cueillir des mûres, dit-elle pour masquer son trouble. Nous en mangions à nous rendre malades. Et puis, j'en rapportais à la maison et maman nous confectionnait une tarte.

Doucement, il essuya une trace de jus au coin de ses lèvres.

— Je ne me rappelle pas que ma mère ait jamais préparé une tarte, dit-il.

— Ce n'est pas difficile...

Résister à l'appel de ses fascinants yeux gris l'était bien davantage.

Il pencha la tête et posa ses lèvres sur les siennes. Un baiser doux, chaud et d'une retenue aussi excitante qu'inattendue. Cependant, comme il s'enhardissait, Joanna se rendit compte que, loin d'être inexpérimenté, Kris se comportait en amant délicat et attentionné...

Tout en se le reprochant, elle répondit à son baiser. Il lui semblait n'avoir jamais été embrassée avec autant de fougue.

Elle ne restait que vaguement consciente du paisible bourdonnement des insectes, des rires éloignés d'un groupe de promeneurs. Seuls importaient les doigts de Kris sur sa nuque, son enivrant baiser et le désir qui croissait en elle.

Le cœur battant à tout rompre, elle s'écarta.

— Je... je crois... Il faut rentrer.

— Tu as probablement raison.

Toutefois, il semblait aussi réticent qu'elle à rompre le charme.

— Ce serait moche de rater nos débuts d'entraîneurs. Les gosses seraient déçus.

Comme il lui était difficile de refouler son émotion...

Il caressa doucement sa joue.

— J'aimerais que nous reprenions ce programme d'essai un autre jour.

— Ce ne serait pas très sage.

— Pourquoi ? Enfin, mieux vaut que tu le saches : je suis persévérant.

Joanna n'en doutait pas un instant. Il lui fallait pourtant mettre une certaine distance entre elle et cet homme qui lui donnait des idées impossibles...

Quand ils arrivèrent à l'atelier, Tyler arpentait déjà le parking.

— Je croyais que vous aviez oublié l'entraînement.

— Jamais de la vie !

Kris détacha les vélos du plateau loué pour l'occasion.

— Nous avons simplement rencontré quelques difficultés.

Tyler aida Kris à descendre le tandem et à le pousser jusqu'au garage.

— J'aimerais bien que mon copain Pete puisse conduire un truc comme ça.

— Le garçon aveugle ? demanda Kris.

— Oui. Son frère aîné est fou de V.T.T., mais les officiels refusent que Pete fasse équipe avec lui.

— Je me demande bien pourquoi. Ça ne peut gêner les autres concurrents.

— C'est une histoire de règlement, paraît-il. Chaque participant doit pédaler pour son propre compte. Pete en est tout à fait capable. Simplement, il ne voit pas où il va !

Kris se frottait la nuque tout en examinant son invention.

— Oh, oh ! plaisanta Joanna. Le maître réfléchit à la manière de gagner un million de dollars !

Kris lui jeta un regard amusé.

— Oui, si on veut. Je me creuse la cervelle pour trouver le moyen de faire participer un gosse aveugle à une compétition de V.T.T. Ça vaut bien plus que de l'argent.

Joanna était bien d'accord, et son cœur s'emplit d'une nouvelle admiration pour l'homme qui produisait un aussi vif effet sur elle. Pourquoi diable ne parvenait-elle pas à songer à lui comme à un bon à rien, un vagabond refusant toute responsabilité ? Les choses seraient tellement plus simples ainsi...

6.

— Sais-tu que les Américains dévorent environ un milliard de hot dogs chaque année ?

Joanna releva la tête. Après l'entraînement et un rapide dîner, elle était venue assister au carnaval de l'école où elle prêtait main forte aux parents d'élèves qui tenaient le stand de hot dogs. En apercevant Kris, son visage s'éclaira. Ses cheveux humides bouclaient sur sa nuque. Il était beau à faire damner une nonne. Et, songea la jeune femme, elle vivait un peu comme une nonne, ces derniers temps !

Son célibat ne résultait pas d'un choix mais d'une nécessité. Une relation sans lendemain ne la satisferait pas, et qui voudrait s'encombrer d'une femme qui vit dans une maison décorée de moulins à vent miniatures, en compagnie d'une mère qui perd la tête et d'un enfant naturel ? De toute façon, elle n'accepterait jamais de se décharger de ce fardeau sur un autre.

Avec effort, elle ravala son amertume.

— Existe-t-il des détails de cette importance qui aient échappé à ta sagacité ? demanda-t-elle.

— Peu ! Enfant, j'ai beaucoup fréquenté la bibliothèque, et je possède une bonne mémoire visuelle.

Il s'exprimait naturellement, comme s'il était courant

de retenir le contenu d'une page qu'on vient de lire et de pouvoir le restituer sans hésiter des années plus tard.

— Il s'agit donc d'erreurs de jeunesse ? dit-elle en plaisantant.

Elle servit une jeune cliente, puis Maureen, une bénévole au grand cœur, lui commanda des hot dogs pour cinq personnes.

— Plus tard, il m'est apparu que j'avais pu passer à côté d'un certain nombre de choses, dit Kris.

— Par exemple ?

Les coins des lèvres de Kris se soulevèrent.

— Je n'aurais pas dû poser la question, dit précipitamment Joanna dont les joues s'empourprèrent.

Il pensait sûrement à des choses interdites, tout comme elle.

Elle passa les hot dogs à Maureen.

— Pas de panique, reprit Kris. Je suis en train de rattraper le temps perdu.

Il s'accouda au stand et lui adressa un de ces sourires qui la troublaient tant.

— Par exemple, je compte bien t'emmener faire un tour de grande roue.

A travers la cour de l'école, Joanna jeta un regard aux manèges vivement éclairés d'où s'échappaient musique et rires d'enfants.

— Désolée, je me suis engagée à...

— Va donc ! intervint Maureen. Le coup de feu est passé ; je me débrouillerai bien sans toi.

— Pas question de te faire faux bond ! protesta Joanna.

— Allons, chérie ! Les occasions de vendre des saucisses ne manquent pas, contrairement à celles de s'amuser avec un beau gars ! A ta place, je filerais avant qu'il change d'avis !

Kris inclina légèrement la tête.

— Merci, madame.

— Mais..., commença Joanna.

— Pas de discussion, fit Maureen, agitant la main pour les chasser. Allez, et amusez-vous bien !

Vaincue, Joanna détacha son tablier. On aurait dit que tout Twain Harte s'était donné le mot pour la jeter dans les bras de Kris.

Quand Joanna se glissa hors du stand, Kris la prit par la taille. Depuis le matin où il l'avait embrassée, il cherchait tous les prétextes pour recommencer. Pour tout dire, il en aurait bien fait une habitude !

Ce soir, elle portait un pull foncé, taillé dans une matière moulante qu'il brûlait de toucher, et une veste sans manches qui ne dissimulait rien de ses formes. Au bout de sa chaîne d'or, un camée se nichait au creux de son charmant décolleté et ses boucles d'oreilles dansaient, accrochant joyeusement la lumière.

Brusquement, Kris regretta de n'avoir pas prêté plus d'attention aux conversations lestes de ses camarades d'études. Si à l'époque, il était bien plus passionné par les mathématiques que par la conquête des femmes, il avait bien changé depuis !

Peut-être devrait-il appeler Chad pour lui demander des conseils ? En fait de problèmes avec les femmes, son associé ne connaissait que celui d'échapper à leurs assiduités.

Quand ils furent installés dans leur siège de la grande roue, Kris glissa un bras autour des épaules de Joanna, ses doigts reposant légèrement sur la courbe de son épaule. Seigneur ! Il se comportait comme un adolescent ! Il lui fallait de l'aide !

— Chouette, non ? dit-il quand la roue démarra.

Pour une conversation brillante, c'en était une. Cependant, affolé par le parfum fleuri de Joanna, Kris n'avait plus toute sa tête.

— Cette roue est loin d'être impressionnante, dit Joanna.

— Possible. C'est la première fois que je monte sur un engin pareil !

Joanna le considéra avec étonnement.

— Tu as atteint l'âge de... Au fait, quel âge as-tu ?

— Trente et un ans.

— Et tu n'es jamais monté sur une grande roue ?

— Ni sur les montagnes russes.

Un élan de chaude sympathie la jeta vers lui.

— Tes parents n'avaient pas les moyens de te l'offrir ?

— Si. Ils sont tous deux enseignants à Berkeley. Mon père est astrophysicien et ma mère spécialiste en microbiologie. Emigrés d'U.R.S.S. avec leurs parents, ils ont connu la pauvreté. La réussite scolaire les obsédait, et il n'a jamais été question que nous fréquentions les lieux où l'on s'amuse.

— Es-tu fils unique ?

— J'ai une sœur, Rochelle. Elle est assistante à l'Institut de technologie du Massachusetts. La robotique est sa spécialité.

— Tu es donc le mouton noir de la famille ?

Kris éclata de rire.

— En quelque sorte. Ils n'ont pas supporté que je quitte le monde universitaire pour celui des affaires.

— Hum, je vois. Dois-je comprendre que ton chômage actuel est une forme de rébellion contre l'autorité parentale ?

Il réfléchit un instant.

— Après tout, peut-être, mais dans ce cas, c'est parfaitement inconscient. Je n'ai jamais eu l'occasion d'être un enfant. Jamais je n'ai pratiqué de sport comme Tyler. Quand mes camarades invitaient des filles pour le bal de l'école, je m'isolais au fond d'un labo ou devant mon ordinateur. A l'époque, je préférais étudier plutôt que sortir.

— Et maintenant ?

— Maintenant, je veux goûter à la vie de M. Tout-le-Monde. J'aimerais t'inviter au bal de la promotion !

— Ça, c'est bon pour les adolescents, pas pour des adultes responsables !

Il jouait avec une mèche de ses cheveux, ce qui faisait délicieusement frissonner Joanna.

— Qui a détruit tes rêves ? demanda-t-il doucement.

La gorge serrée, elle ne répondit pas.

Celui qui l'avait abandonnée en apprenant sa grossesse n'était pas le seul responsable de cet état de fait, ainsi que le soupçonnait Kris... Il y avait aussi sa grand-mère, qui s'occupait des décorations de Noël en plein mois de juillet, jouait faux du trombone les nuits de pleine lune et ramassait tous les morceaux de ficelle qui traînaient ; sa mère, qui avait des jours pourpre, et abricot, et verts ; et son père qui aimait entendre tourner les ailes des moulins à vent sur son toit...

La grande roue s'immobilisa, les laissant suspendus dans les airs. Le siège craqua en se balançant d'avant en arrière. Au-dessus de leurs têtes s'étendait un ciel piqueté d'étoiles où la Voie lactée laissait sa traînée argentée. Au-dessous, la foule commençait à se disperser. Les lumières des stands s'éteignaient une à une et les bénévoles entreprenaient de remettre les lieux en ordre.

Kris prit Joanna par le menton et l'obligea à le regarder.

— Et si nous inventions un nouveau rêve, rien que pour nous deux ? demanda-t-il d'une voix légèrement enrouée. Un qui puisse se réaliser...

Le cœur de Joanna bondit dans sa poitrine.

— Impossible, Kris.

Non, vraiment, elle ne se sentait pas le droit d'imposer à quiconque l'embarras d'entrer dans une famille d'excentriques, pas plus que la responsabilité financière et affective de sa mère et de son fils. Ç'aurait été parfaitement injuste.

Le lendemain après-midi, Joanna remarqua une flaque d'eau sous l'évier et soupira. Cette fuite augurait mal des talents de plombier de Kris. Elle s'agenouilla pour examiner les raccords mais ne vit rien d'anormal.

Il lui fallait vraiment s'inscrire à ces cours de bricolage dispensés à l'école. Une femme ne devrait pas dépendre d'un homme pour des réparations mineures ; ni d'ailleurs pour recevoir l'amour qu'elle souhaitait...

Agnès arrivait du jardin, ses gants dans une main, son sécateur dans l'autre, son chapeau de paille de travers sur sa tête et la joue barrée d'une traînée noirâtre.

— Mes roses sont superbes, cette année ; on se croirait au printemps. Ton père les aimait tant...

Elle s'immobilisa et fixa la flaque sous l'évier.

— Ça fuit, ma chérie. As-tu remarqué ?

— Oui, maman. J'ai remarqué. J'hésite encore sur la marche à suivre.

— Appelle donc Kris, il réparera ça en un tournemain !

Elle posa gants et sécateur sur la table.

— Il est tellement charmant. Nous pourrions l'inviter à dîner et...

— La fuite n'est pas dramatique, maman. J'appellerai le plombier demain.

— Ton père adorait mon poulet cuit au four et mes biscuits accompagnés de marmelade. Oui, je pense que c'est le menu qu'il préférerait pour ce soir.

Otant son chapeau, elle fit bouffer ses cheveux.

— Quand il rentrera du travail, je lui demanderai de courir à l'épicerie. Il ne refusera pas. Il sait si bien s'occuper des détails pratiques...

— Parles-tu de papa ou de Kris, maman ?

— Eh bien, je...

Le regard d'Agnès s'emplit de confusion ; d'une main tremblante, elle rajusta une boucle teintée de pourpre.

— Ne fais pas attention, ma chérie. Je sais que je déraille parfois. Je crois quand même que tu devrais appeler Kris à la rescousse. On ne sait jamais ; cette fuite pourrait prendre des proportions inquiétantes pendant la nuit. Ton père qui a eu tant de mal à poser ce parquet ne supporterait pas de le voir endommagé, ne crois-tu pas ? Nous ne pourrions jamais réassortir aussi adroitement ces échantillons provenant du magasin. Nous avons réalisé là une belle économie.

— Certainement, maman.

Les larmes piquaient les yeux de Joanna. Son père était mort deux ans plus tôt, et pourtant sa mère parlait de lui comme s'il vivait encore. Et le parquet fait de pièces de tons et de formes différents était effectivement unique en son genre !

— Je vais voir si Kris est là. Peux-tu rester seule quelques minutes ?

— Ça va. J'ai simplement besoin de me reposer. Je... je suis si lasse.

Distraitement, Agnès ramassa gants, sécateur et chapeau et se dirigea vers sa chambre. Elle parlait toute seule, comme si elle essayait de se rappeler ce qui l'avait fatiguée à ce point.

Joanna avait le cœur brisé. Ses parents s'aimaient tellement, et maintenant il ne restait plus à sa mère que des souvenirs auxquels se raccrocher ; des lambeaux d'un passé qui, dans son esprit confus, semblait plus réel que le présent.

Tant pis, Joanna demanderait l'aide de Kris. Elle ne voulait pas risquer de la bouleverser davantage.

Des fils serpentaient du bureau de Kris à l'atelier. Il avait installé un projecteur supplémentaire, un établi encombré de fils électriques de toutes les couleurs, et un ordinateur équipé d'un modem.

Joanna examinait avec stupéfaction ce désordre, se demandant pourquoi les bicyclettes jumelles avaient été séparées. Elles gisaient contre le mur, des fils connectant les cadres à un dispositif ne ressemblant à rien de connu...

— Que se passe-t-il, ici ?

Kris leva les yeux de son clavier. Il n'était pas coiffé, pas rasé. Ses mâchoires piquetées de poils blonds paraissaient plus carrées, plus viriles et, pour tout dire, plus séduisantes.

— C'est ma nouvelle invention. J'y travaille depuis hier. Cette fois, j'utilise les ressources de la technologie de pointe en matière de missiles.

— Tu fabriques une bombe ?

Joanna se demanda vaguement si elle ne devrait pas ajouter dans son prochain contrat de location une clause interdisant aux apprentis sorciers de faire exploser l'immeuble.

— Qui comptes-tu attaquer ? L'équipe adverse, lors du prochain match de Tyler ?

— Non. Mais Tyler est visé. Il a déjà donné son accord.

— Minute ! Un mineur ne peut servir de cible sans l'accord de ses parents, et je m'y oppose formellement !

Kris pivota sur son tabouret. Un sourire illuminait ses traits.

— C'est pour Pete.
— Pete Ashford ?
— Oui. Je vais placer un émetteur sur un de ces vélos. Ce sera celui de Tyler. L'autre, celui de Pete, captera électroniquement les signaux émis. Ils seront retransmis dans les écouteurs de Pete. Telle ou telle fréquence lui indiquera qu'il faut tourner à droite ou à gauche, et les bips sonores plus ou moins rapprochés à quelle distance il se trouve du V.T.T. de Tyler. Le but est de maintenir une distance constante entre les deux vélos.

Joanna demeura un moment bouche bée.

— Tu es stupéfiant, dit-elle enfin.
— Futé, non ?

Il lui fit signe d'approcher.

— Mets les écouteurs, tu comprendras mieux mes explications.

Joanna obtempéra. Tapotant d'un doigt le clavier, Kris donna ses instructions à l'ordinateur. Un bourdonnement régulier parvint aux oreilles de Joanna.

— Voici ce qui se passe si tu dévies sur la droite, dit Kris.

Le volume du bourdonnement augmenta dans l'oreille gauche.

— C'est fantastique ! Mais comment Pete pourra-t-il... ?
— Quand le bruit augmente à gauche, il tourne le guidon vers la gauche. C'est tout simple.

Joanna hocha la tête. Avec Kris, tout semblait simple.

— Maintenant, le signal de distance. Ça fonctionne comme un sonar.

En effet. Joanna avait vu suffisamment de films dont l'action se situait en mer pour reconnaître le dispositif.

— Juste une question. Qui va courir derrière les V.T.T. avec l'ordinateur ?

Kris éclata de rire.

— Bonne question !

Un mouvement sur sa gauche attira l'attention de Joanna. Elle tourna la tête pour voir Larry pénétrer, tel un ouragan, dans l'atelier.

— Que fabriquez-vous ici, bon sang ?

Cependant, Kris était si absorbé par sa démonstration qu'il ne remarqua pas tout de suite l'intrusion de son colocataire. Joanna fit glisser les écouteurs de ses oreilles.

— Kris travaille sur un nouveau projet, expliqua-t-elle.

— Il a bousillé mon ordinateur, oui ! Les deux pannes de courant de la dernière demi-heure ont effacé toutes mes données, et maintenant je ne peux même plus accéder au menu !

— Je ne vois pas comment cela a pu se produire, marmonna Kris.

— Eh bien, ça s'est produit !

Avec une visible réticence, Kris détacha son attention de l'écran pour la reporter sur Larry.

— Je ne pense pas avoir tiré suffisamment de courant pour produire de tels dégâts.

— Kris travaille à une invention qui permettra à un enfant aveugle de pratiquer le V.T.T., expliqua Joanna dans un désir de conciliation. L'idée est passionnante, non ?

— C'est idiot ! gronda Larry. Pourquoi un gosse aveugle voudrait-il faire du vélo ? Je vous demande un peu ! Il va probablement se rompre le cou. Il ferait mieux de rester chez lui à étudier le braille !

Le regard de Joanna étincela de colère.

— Ce n'est pas parce qu'un enfant est aveugle qu'il doit rester confiné chez lui, monsieur Smythe ! Avec l'aide de gens comme Kris et l'apport de la technologie moderne, Pete parviendra peut-être à réaliser son rêve ! Je ne vous permets pas de critiquer Kris quand vous... quand vous...

Dans sa colère, Joanna ne trouvait pas d'expression pour qualifier l'attitude de Larry.

Ce dernier sembla se dégonfler comme un ballon d'air chaud.

— Je n'avais pas saisi l'importance de l'enjeu, mademoiselle Greer.

Kris passa autour des épaules de Joanna un bras dont le contact se voulait apaisant mais qui se révéla en même temps douloureusement enivrant.

— Allons, Larry, je vérifierai l'installation. Cependant, pour plus de sûreté, je vous conseille de sauvegarder plus fréquemment votre travail, et aussi de vous équiper d'un régulateur de tension. Il se peut que l'alimentation soit irrégulière dans le coin.

Larry le gratifia d'un regard dépourvu d'aménité.

— J'y songerai, Slavik.

Sur ces mots, il leur tourna le dos et regagna d'un pas rageur son bureau.

Joanna poussa le soupir retenu durant l'altercation et se laissa aller contre Kris. Elle venait sans doute de perdre un locataire; pour l'instant, néanmoins, ça lui était complètement égal.

— Merci de m'avoir défendu, murmura Kris.

Elle leva son regard vers le sien.

— Normal. Ce que tu tentes est fantastique. Si Pete remonte sur une bicyclette, il sera au septième ciel.

— Et si ça ne marche pas?

— Tu auras essayé.

— Bien des gens me traiteraient de doux rêveur...

— Eh bien, pas moi.

Jamais elle ne le critiquerait. Pas avec ses bras autour d'elle, son odeur enivrante, son incroyable intelligence et son esprit créatif qui forçait son admiration...

— Tu es un génie, murmura-t-elle tendrement.

— Je suis un homme, Joanna. Un homme qui aimerait connaître un jour une vie de famille ; avoir des enfants, jouer au football avec eux ou leur apprendre à manipuler un ordinateur. Je ne suis qu'un homme.

Comme pour prouver ce point, il prit ses lèvres. Tout en sachant qu'elle n'en avait pas le droit, Joanna s'abandonna à son baiser. Aucun avenir n'existait pour eux ; l'encourager dans cette voie était donc une erreur. Elle ne pouvait faire endosser à un homme aussi brillant un héritage génétique douteux.

Elle glissa ses mains sur la poitrine de Kris, luttant contre un impérieux désir de nouer ses doigts sur sa nuque, de les plonger dans la masse de ses longs cheveux pour l'attirer encore plus près d'elle.

Durant les dix dernières années, elle avait tant bien que mal accepté son sort. Ce n'était pas le moment de faiblir.

— Il faut que je rentre, murmura-t-elle contre sa bouche.

— Je comprends.

Tandis que, à regret, Kris desserrait son étreinte, elle éprouva soudain le désir puéril qu'il ne la laissât pas partir.

Elle était presque arrivée chez elle quand elle se rendit compte qu'elle n'avait pas parlé à Kris de son problème de plomberie. Agenouillée devant l'évier, elle examina les soudures, qui semblaient tout à fait normales. Elle passa un doigt sur les tuyaux et le retira : il était sec. Il n'y avait pas de fuite ; il n'y en avait jamais eu !

Avec un soupir, Joanna comprit que, une fois de plus, sa mère s'était jouée d'elle. En dépit de ses fréquentes absences, Agnès pouvait se révéler rusée comme un renard quand il s'agissait d'exercer ses talents de marieuse.

7.

A son retour de l'école, Joanna avait à peine mis le pied dans la maison que Tyler se précipitait sur elle.

— Maman ! Kris nous attend. Les vélos sont prêts et Pete arrive !

Il disparut de la pièce pour réapparaître un peu plus tard, son casque à la main.

— Nous ferons les essais sur le parking en face de l'atelier ! Tu viens, hein, maman ? Ça va être terrible !

— Oui, certainement...

— On se retrouve là-bas !

La porte claqua ; Tyler était parti.

Joanna demeura quelques instants songeuse. Ces derniers temps, Tyler avait entretenu davantage de rapports avec Kris qu'elle-même. A part pour les entraînements, elle ne l'avait pas vu de la semaine. Et même alors, il semblait distrait, et s'éclipsait dès la fin de la séance sans même leur dire au revoir.

Dominant son impatience de retrouver Kris, Joanna se força à échanger calmement sa tenue de travail contre un jean et un sweat-shirt et à se recoiffer. Puis, jugeant ses efforts suffisants, elle s'élança vers la porte. Pour rien au monde elle n'aurait voulu rater l'événement.

⁂

Il semblait exténué. La fatigue marquait ses traits ; il n'avait certainement pas pris de douche ni de repas correct depuis un moment.

« Cet homme a besoin d'une gouvernante », se dit Joanna.

Ou bien d'une femme.

En la voyant approcher, il lui sourit avec lassitude et le regret noua la gorge de Joanna. Il méritait vraiment mieux que ce qu'elle avait à lui offrir.

— Bonjour, dit-elle. Alors, le grand jour est arrivé ?

— Je l'espère.

Le regard de Kris la caressa, un regard d'homme affamé, avant de retourner à ses deux protégés.

— Bon, les garçons, voici comment nous allons procéder.

Suivant les instructions de Kris, Tyler et Pete enfourchèrent leurs V.T.T. respectifs. Tyler se plaça quelques centimètres devant son ami. Kris s'affaira autour des écouteurs et ajusta les dispositifs à l'avant et à l'arrière des vélos. Pete, aussi brun que Tyler était blond, semblait anxieux tandis que son ami souriait d'un air confiant.

— Où as-tu déniché ce matériel ? demanda Joanna à Kris.

— Chez un ami qui possède des stocks importants.

— Celui qui a fourni les ordinateurs à l'école ?

— C'est cela. Tu sais, ce matériel est très vite dépassé.

Joanna suivit Kris qui faisait le tour des vélos.

— J'espère que tout est légal. Je ne supporterais pas que mon fils soit arrêté pour espionnage.

Kris s'accroupit pour relier deux fils à un satellite miniature et vérifia sur son compteur que tout était en ordre.

— Ces dispositifs sont consignés dans *Aviation Week*. Difficile de garder un secret dans ce pays !

Apparemment satisfait de son examen, Kris se redressa et posa une main sur l'épaule de Pete.

— Nous allons commencer par traverser le parking en ligne droite. Ça fait environ cinq mètres, Pete. Alors essaie de ne pas heurter Tyler quand il arrivera au bout. Dès que les signaux s'accélèrent, tu freines.

— D'accord.

— Tu es sûr d'être déjà monté à bicyclette ?

— Souvent. Avec mon frère.

— Bien. Vous êtes parés, les garçons ? A vos marques, prêts, partez !

Tyler se mit à pédaler dur ; Pete, derrière lui, gardait un équilibre étonnant pour un garçon qui ne distinguait que des ombres. Joanna le trouvait terriblement courageux de s'aventurer ainsi en territoire inconnu.

Les secondes s'écoulaient ; le but se rapprochait à toute allure. Lorsque Tyler atteignit la barrière, Pete ne réagit pas tout à fait assez vite et son V.T.T. heurta celui de son ami. Il fit une pirouette et retomba sur la barrière.

Kris et Joanna s'élancèrent en courant. Arrivés au niveau des garçons, ils se rendirent compte que ceux-ci riaient à en perdre haleine.

— Je l'ai fait, Kris ! hurla Pete, étreignant son ami.

Il leva un poing victorieux.

— J'ai roulé tout seul ! Vous m'avez vu, Joanna ?

— Mais oui ! Tu as été fantastique. Et Tyler aussi.

Elle les aurait volontiers embrassés, ainsi que Kris. Elle croisa son regard par-dessus les bicyclettes. De sa vie, elle n'avait ressenti une telle fierté. Dans les yeux de Kris, elle lut le reflet de ses propres sentiments ; fierté de la réussite, amour des enfants, et, tout au fond d'elle-même, quelque chose de doux et douloureux à la fois se crispa.

Elle lui tendit une main qu'il serra dans la sienne.

— J'ai l'impression que le côté kamikaze de l'exploit m'a échappé ! dit-il.

Joanna sourit.

— Ils ont dix ans, répliqua-t-elle. Ils se croient invincibles.

Et à ses yeux, Kris était aussi le chevalier à l'armure étincelante capable de venir à bout du plus redoutable des dragons.

Pete se releva.

— On peut recommencer ?

— Je suis prêt, déclara Tyler en écho.

— D'accord, dit Kris. Seulement, la prochaine fois, va un peu moins vite, Tyler. Nous allons essayer les virages.

— Formidable ! s'exclamèrent en chœur les deux garçons.

L'instant d'après, ils enfourchaient les V.T.T.

— Minute, dit Kris. Il faut d'abord que je vérifie l'équipement. Il n'est pas conçu pour résister à un tel choc. Emmenons les vélos à l'atelier.

Kris examinait l'avant de celui de Pete.

— Autre chose, les gars. J'ai consulté la liste des courses. La prochaine à laquelle vous pourriez participer se déroule samedi prochain.

— Nous serons prêts, assura Tyler.

— Fin prêts ! renchérit Pete. Si nécessaire, nous pouvons manquer l'école pour nous entraîner.

— Pas question ! dit Joanna d'un ton de réprimande.

— La course tombe en même temps que ton match contre les Vikings, Tyler, reprit Kris. Il va falloir choisir.

Joanna lut l'indécision dans le regard de son fils. Il était le stratège de l'équipe ; le football était sa vie.

— Quand a lieu la course suivante ?

— Pas avant le printemps, fiston.

Les épaules de Pete se voûtèrent.

— Tant pis, nous attendrons. Le match contre les Vikings passe avant tout.

Tyler posa une main sur l'épaule de son ami.

— Nous participerons à cette course, Pete. Pas question de te laisser en plan pour me faire rétamer par ces Vikings. Ils sont trop forts ! Et puis, Brandis meurt d'envie de jouer arrière ; c'est l'occasion ou jamais.

Du regard, Tyler consulta sa mère qui se contenta de manifester son approbation d'un signe de tête. Son cœur débordait de fierté. C'était un énorme sacrifice que son fils consentait là. Grâce à Kris, les deux amis vivaient une expérience inoubliable. Qu'ils réussissent ou pas, ces instants resteraient à jamais gravés au fond de leur cœur.

Les deux enfants guidaient leurs bicyclettes jusqu'à l'atelier quand une voiture s'arrêta sur le parking. A sa grande surprise, Joanna reconnut Isabel Currant et son fils Cody.

— Bonjour, mademoiselle Greer. Je venais justement vous voir.

— Bonjour. Que puis-je pour vous ?

— Eh bien, mon mari et moi...

Elle jeta un coup d'œil à son fils que son retour semblait plus attrister que réjouir.

— Nous allons essayer de repartir de zéro. Et... enfin... Voilà, Paul aimerait reprendre l'entraînement de l'équipe. Je sais que vous vous en êtes chargés avec M. Slavik, mais je me demandais si...

— Naturellement, madame Currant. Il s'agissait seulement de rendre service.

La réapparition des Currant réglait au moins un problème : Kris et elle seraient en mesure d'assister à la course de V.T.T. Quant à la défection de Tyler pour le match contre les Vikings, elle espérait que Paul Currant ne lui en tiendrait pas trop rigueur.

⁂

Tout le reste de la semaine, les garçons le passèrent à vélo. Dès qu'ils eurent maîtrisé les virages sur le sol égal du parking, Kris les emmena s'entraîner sur la voie de chemin de fer.

Quand Tyler rentra à la maison les genoux couronnés et un coude égratigné, Joanna ne voulut même pas songer à l'état de Pete qui tombait plus souvent. Joanna savait que ses parents adhéraient totalement au projet, même s'ils serraient les dents et retenaient leur souffle à chaque exploit de leur fils. Déterminés à lui laisser mener la vie la plus normale possible, ils se disaient que quelques contusions et des genoux égratignés ne représentaient rien au regard du bonheur d'être un homme à part entière.

Quand le jour de la course arriva, Joanna ne pouvait masquer sa nervosité. Près de la ligne de départ, des vendeurs d'accessoires pour V.T.T. exposaient leurs articles sous des auvents aux vives couleurs. Le soleil brillait sur la foule des spectateurs et des participants qui se rassemblaient par petits groupes, saluant d'anciennes connaissances ou prodiguant des encouragements aux nouveaux inscrits.

Parmi les spectateurs se trouvaient les parents de Pete. Sous leur calme de façade, Joanna devinait une anxiété égale à la sienne.

— J'espère seulement que les garçons ne se blesseront pas, confia Joanna à Kris tandis que Tyler et Pete attendaient le signal du départ.

Kris lui prit la main.

— Ils sont solides. Ne t'inquiète pas, tout se passera bien.

Etant donné le peu de temps dont il avait disposé avant l'échéance, il avait fait son maximum. Les ordinateurs, plus lourds qu'il ne l'aurait souhaité, posaient quelques problèmes d'équilibrage ; en outre, ils étaient un peu trop fragiles. Il suffirait d'un peu de poussière ou d'un caillou pour détruire le système ; ou encore qu'un vélo s'interpose entre ceux des garçons, bloquant le passage des signaux et laissant Pete livré à lui-même.

Pour tout dire, Kris était presque aussi anxieux que Joanna.

Elle lui pressa la main.

— Au cas où j'aurais omis de le signaler, je trouve fantastique ce que tu as fait pour Pete.

— Tu ne diras peut-être pas la même chose si l'un des garçons se rompt le cou.

— Tu viens d'affirmer que tout se passera bien !

Dans la fièvre du départ, les concurrents se bousculaient pour prendre la meilleure position pendant que le starter préparait son pistolet.

— Je ne me sens pas très bien, glissa Kris à Joanna.

— Moi non plus, dit Joanna avec un rire nerveux. Nous formons une belle paire, n'est-ce pas ?

Il lui sourit. Le soleil faisait briller ses cheveux. Oh ! Comme il désirait que cette femme entre toutes l'admire...

Le signal du départ fut donné et le groupe des cyclistes s'élança à l'assaut de la crête, la portion la plus abrupte du parcours, Tyler et Pete restant prudemment à l'arrière.

— Ils font deux fois la boucle, expliqua Kris comme le groupe disparaissait de leur vue.

Les minutes s'écoulaient. Certains spectateurs s'écartèrent pour tenter d'apercevoir quelque chose. L'attente semblait interminable.

— Dans combien de temps réapparaîtront-ils ? s'enquit Joanna, au comble de la nervosité.

— Une ou deux minutes.

Elle serra la main de Kris à lui faire mal. Elle avait tellement besoin de lui. Elle ne voulait pas qu'il la quitte. Jamais. Et surtout pas maintenant.

Elle tenta de se raisonner en se disant que ce n'était qu'une course. Les garçons ne s'attendaient pas à remporter la victoire ; ils voulaient seulement boucler le parcours.

Des soudaines acclamations annoncèrent l'approche des concurrents de tête, deux garçons plus âgés que Tyler et Pete qui dévalèrent côte à côte la pente et prirent un virage serré pour attaquer la seconde partie du trajet.

Joanna essayait de repérer les deux amis.

Et brusquement, elle les aperçut, pédalant plus prudemment que les autres, mais toujours dans la course.

— Allez, Tyler ! cria-t-elle. Vas-y, Pete !

Conscients de l'infirmité de Pete, les autres spectateurs joignirent leurs encouragements aux siens. Cependant, concentrés sur leur course, les deux garçons ne firent aucun geste en direction du public. Peu après, dans un nuage de poussière, le gagnant passait la ligne d'arrivée, talonné de près par le gros du peloton.

Deux retardataires se présentèrent ensuite, couverts de poussière et en sueur. Tyler et Pete n'étaient nulle part en vue.

Retenant son souffle, la foule attendait l'apparition des deux derniers concurrents. Kris se dirigea vers la ligne d'arrivée, Joanna sur ses talons. Elle n'apercevait pas les parents de Pete, mais se représentait sans peine leur inquiétude.

Elle s'approcha d'un de ses anciens élèves.

— Sais-tu où sont Tyler et Pete ? lui demanda-t-elle.

Le jeune garçon se débarrassa de son casque et remonta ses lunettes sur sa tête.

— Je les ai aperçus au bord du chemin.

— Etaient-ils blessés ?

— Je ne pense pas. Tyler m'a fait signe de la main. Je crois qu'ils ont crevé.

Kris passa un bras autour des épaules de Joanna.

— Ne te tracasse pas. Ils ont de quoi réparer. Tout ira bien.

Et soudain, des vivats retentirent tandis que, au sommet de la crête, deux cyclistes apparaissaient. Joanna sourit en reconnaissant son fils en tête. Le pneu avant de Pete touchait presque celui de Tyler. Jouant le jeu jusqu'au bout, couverts de poussière de la tête aux pieds, les deux enfants pédalaient de tout leur cœur.

Et puis, au moment de passer la ligne, Tyler hurla :

— Vas-y, Pete ! Fonce tout droit !

Et il s'écarta, laissant Pete achever tout seul sa course.

Une véritable ovation s'éleva de la foule tandis que le cœur de Joanna s'emplissait d'amour et de fierté. Les yeux pleins de larmes, elle vit le père de Pete s'élancer au-devant de son fils pour le rattraper avant qu'il ne chute. Pendant ce temps, avec l'arrogance de la jeunesse, Tyler saluait son public.

— Merci..., murmura Joanna à Kris.

— Remercie plutôt ton fils. C'est un garçon exceptionnel.

— Tu lui as donné l'occasion de prouver ce dont il est capable.

Débordant de gratitude, Joanna se souleva sur la pointe des pieds et embrassa Kris. Dans son idée, il s'agissait simplement de lui prouver sa gratitude. Très vite, pourtant, le baiser échappa à son contrôle.

Les cris des spectateurs résonnaient autour d'eux mais Joanna ne les entendait plus. Elle n'était plus qu'une femme dans les bras de l'homme qu'elle avait choisi, un homme fort, intelligent, séduisant et sensible. Un homme merveilleux.

Comme elle l'aimait...

La constatation lui arracha une plainte. Oui, elle aimait Kristopher Slavik. De tout son cœur, de toute son âme. Elle ne pouvait se dissimuler plus longtemps la réalité.

Malheureusement, cette révélation ne changeait rien à la situation. Pour le bien de Kris, elle n'avait pas le droit de se laisser aller à son inclination. Il souhaitait fonder un foyer et elle n'avait à lui offrir que soucis et tracas. Non, vraiment, un homme aussi bon que Kris méritait mieux que ça.

Joanna se fraya un chemin vers son fils qu'elle prit dans ses bras et étreignit fougueusement. Un large sourire illuminait le visage de l'enfant.

— Tu as été magnifique, petit tigre. Et toi aussi, Pete. Quelle course !

— Nous sommes arrivés derniers, fit remarquer Tyler.

— Vous avez tenu bon ; vous êtes des garçons formidables.

Une soudaine rougeur couvrit les joues de Tyler.

— Oh, bon, maman, ça va...

8.

Le lundi, alors que Joanna rentrait chez elle après la classe, elle aperçut une épaisse fumée qui s'élevait du local abritant ses bureaux. Voyant ensuite un camion de pompiers sur le parking, la panique la saisit. Elle se gara en hâte, sauta de voiture et se précipita vers le bureau de Percy, d'où provenait la fumée.

Bigelow, le chef des pompiers, lui saisit le bras pour l'empêcher d'agir inconsidérément.

— Du calme, mademoiselle Greer. Nous avons la situation en main.

— Personne n'est blessé ? Percy ?

— Kris Slavik, notre nouvelle recrue, a sorti la mère de Percy saine et sauve. A part eux deux, personne d'autre ne se trouvait dans l'immeuble. Ils vont bien.

Joanna poussa un soupir de soulagement, puis se mit à tousser à cause de l'âcre fumée qui lui brûlait les poumons.

— D'où est parti l'incendie ?

— Nous devons approfondir nos recherches, cependant, nous soupçonnons fortement l'installation électrique. Probablement une surcharge.

— Une surcharge..., répéta Joanna. Où se trouve Mme Carter ?

— Le médecin s'occupe d'elle. On lui fait respirer de l'oxygène. Les locaux étaient fortement enfumés.

— Kris ?

— Il est près d'elle. C'est une recrue de choix. Prompt dans ses décisions. Il nous a alertés avant de se précipiter au secours de la vieille dame, au péril de sa vie.

Bigelow leva les yeux vers le toit où se trouvait encore un de ses hommes.

— Nous avons dû pratiquer une ouverture pour évacuer la fumée.

— Bien sûr.

Après avoir remercié le chef et son équipe pour leur diligence et leur efficacité, Joanna se mit en quête de Kris et Mme Carter. Elle les rejoignit au moment où Percy jaillissait de sa voiture.

— Percival ! s'exclama Mme Carter, arrachant son masque à oxygène. Où étais-tu ?

— Je suis là, maman. Que s'est-il passé ?

— J'ai failli mourir, voilà ce qui s'est passé ! Tu m'as laissée seule, ajouta-t-elle, étouffant un sanglot.

— Je suis revenu, maman.

Laissant Percy consoler sa mère, Joanna se tourna vers Kris.

— Comment vas-tu ?

— Très bien. Et Mme Carter allait bien également jusqu'à l'arrivée de son fils. Elle est choquée, voilà tout. Elle se déplace difficilement, et comme elle était aveuglée par la fumée, je suppose qu'elle a eu très peur.

— Heureusement que tu te trouvais dans les parages.

Kris fronça les sourcils.

— Il faudrait inventer un signal d'alarme déclenché par la fumée, un signal sonore qui, au ras du sol, guiderait la victime vers la sortie.

Incapable de résister plus longtemps au désir de s'assurer qu'il était bien vivant, Joanna effleura la joue de Kris.

— C'est une idée formidable.

— Sale coup pour ton local, dit-il.

— Les dégâts sont importants ?

— Malgré la rapidité d'intervention des pompiers, la presque totalité du mur séparant les bureaux de Percy et Larry a brûlé.

— Plus un trou dans le toit.

— Hum. Es-tu correctement assurée ?

— Au minimum. C'est tout ce que je pouvais me permettre. Maintenant, il me faut absolument obtenir ce prêt.

— Ecoute, Joanna, je me sens en partie responsable. Même si ce n'est pas moi qui ai surchargé les circuits, j'y ai largement contribué. Je dispose d'un peu d'argent, si tu veux...

— Pas question, Kris. Tu en auras besoin. En outre, l'installation étant vétuste, je suis la seule responsable dans l'affaire.

— J'ai plus d'argent qu'il ne m'en faut. Laisse-moi...

D'un doigt posé sur ses lèvres, elle le réduisit au silence.

— J'apprécie énormément ton offre, Kris. Mais j'ai toujours été indépendante et ne veux rien devoir à personne. Je me débrouillerai.

Elle imaginait mal comment. Peut-être pourrait-elle prendre un emploi à temps partiel ? Le directeur du supermarché cherchait toujours des vendeuses, et elle le connaissait pour avoir eu son fils en classe l'an dernier.

Le sinistre avait attiré une foule de badauds. Des voitures s'étaient garées le long du trottoir et des enfants allaient et venaient à bicyclette. Sortis de leur maison, les voisins discutaient par petits groupes.

Larry Smythe traversa la foule du pas assuré d'un général se posant en sauveur.

— Que s'est-il passé ?

— Un incendie s'est déclaré, expliqua Joanna. Les dégâts sont minimes. Par chance, Kris se trouvait là, et les secours sont arrivés très vite.

Larry huma l'air et se couvrit précipitamment la bouche et les narines d'un mouchoir en papier.

— Fumées toxiques, marmonna-t-il.

— Je ne pense pas, intervint Kris.

— Je savais bien que ces sautes de tension nous causeraient des ennuis. Vos ridicules inventions sont à l'origine de cet incendie, Slavik ! Et je ne suis pas fou, les fumées de combustion du plastique sont toxiques ! Tout le monde le sait. Et certains vernis pour bois en dégagent aussi en brûlant ! Et des matériaux synthétiques ! Si on n'en meurt pas, on risque pour le moins de s'attirer des problèmes respiratoires !

Kris voulut intervenir, mais Joanna le devança.

— Les locaux seront aérés, Larry. Et les réparations interviendront le plus rapidement possible. Je vous promets que le dérangement sera minime.

Larry secoua la tête. L'inquiétude se lisait dans son regard.

— Je ne peux travailler environné d'exhalaisons malsaines. Il peut s'écouler des mois, voire des années, avant que l'air redevienne respirable. On ne se méfie jamais assez des produits cancérigènes et des poisons résiduels susceptibles de vous attaquer le foie.

La perspective fit blêmir le malheureux.

— Je comprends votre inquiétude, Larry, dit Joanna, étouffant un soupir. Si vous voulez déménager, je vous rembourserai votre caution.

— Oui, oui. C'est chic de votre part.

Du regard, il scrutait les environs comme s'il s'attendait à voir surgir un dragon.

— Il faut que je déménage mes dossiers. Les meubles,

n'en parlons pas, ils sont irrécupérables. Mais il faut que je trouve un moyen d'assainir mes dossiers.

Kris et Joanna le regardèrent s'éloigner, marmonnant entre ses dents.

— Tu n'aurais pas dû proposer de lui rendre son argent, dit Kris. Ce type est dingue. Une fois les locaux aérés, on peut les réintégrer sans problème.

— Je le sais bien. Seulement l'idée de rester terrorise le pauvre homme. A la seule évocation des fumées de plastique, son teint a viré au vert.

— Il est tout autant responsable que moi de l'incendie. Son satané purificateur d'air est un gouffre à watts ! Tu devrais refuser de le rembourser. Tu as autant besoin d'argent que lui.

Joanna posa une main apaisante sur son bras.

— Je te sais gré de ta sollicitude, mais je t'assure que je m'en sortirai.

Kris ne partageait pas l'optimisme de la jeune femme. Une institutrice roulait rarement sur l'or, et il connaissait les difficultés qu'elle rencontrait pour obtenir son prêt. Puisqu'elle refusait son aide, c'était à lui de prendre les choses en main.

Le lendemain matin, Kris se présenta à la banque à l'ouverture des portes. Traversant d'un pas assuré la grande salle aux guichets de chêne lustré, il se dirigea tout droit vers le bureau du directeur. Quand il se présenta, ce dernier se leva avec un large sourire et contourna son bureau pour lui serrer la main.

— Bienvenue à la Sierra National Bank, monsieur Slavik. Mon fils m'a averti de votre visite.

— J'aurais dû transférer plus tôt mes fonds chez vous, mais j'ai été occupé par mon déménagement.

Kris prit le fauteuil que le directeur lui offrait. Il n'ignorait pas que l'empressement de ce dernier était dû au pouvoir de l'argent, pouvoir dont il savait très bien tirer parti pour peu qu'il s'en donne la peine.

— Je suppose que vous avez procédé au transfert demandé...

— Bien sûr. Ce matin, à la première heure. La somme est encore plus considérable que ne l'avait laissé entendre mon fils. Quoi qu'il en soit, votre compte est d'ores et déjà ouvert ; nous n'avons plus besoin que de votre signature.

— Parfait. J'aimerais toutefois vous demander une faveur en échange de mon dépôt.

Les sourcils de Wally Petersen se haussèrent.

— Quelle est-elle ?

— Une de vos clientes, Joanna Greer, a déposé chez vous une demande de prêt.

Petersen hocha la tête avec circonspection.

— J'aimerais que vous le lui accordiez immédiatement, reprit abruptement Kris. Quelle que soit la somme demandée.

Le directeur de la banque se prit le menton.

— Je ne vous apprendrai rien en vous disant que Mlle Greer est une charmante personne. Cependant, si charmante soit-elle, je crains que l'immeuble dans lequel elle a investi ne se révèle pas un très bon placement. Si le service des Forêts avait continué de l'occuper, ç'aurait bien sûr été très différent. Et à présent que se rajoutent les dégâts dus à l'incendie, je ne mériterais pas la confiance de mes dépositaires en acceptant...

— Je ne me suis sans doute pas montré assez clair, monsieur Petersen. Je me porte garant de Mlle Greer.

— Je vois...

— Elle doit toutefois l'ignorer et croire que vous lui avez accordé le prêt sans influence extérieure.

— Un arrangement peu commun...

— ... Et que je vous conseille d'accepter si vous tenez à me compter parmi vos clients.

— Oui, oui, naturellement.

Kris croisa les jambes et sourit. Il s'était tellement pressé de partir pour la banque qu'il avait négligé d'enfiler deux chaussettes assorties et un jean décent. De toute façon, son apparence importait peu. Son compte en banque parlait de manière bien plus efficace en sa faveur, et M. Petersen s'était montré sensible à l'argument.

— Ce serait également courtois de votre part d'encourager les entrepreneurs auxquels s'adressera Mlle Greer à mener rapidement à bien les travaux. Il ne faudrait pas que la pluie intervienne avant que les réparations soient terminées.

— Naturellement, monsieur Slavik. J'y veillerai personnellement.

Après avoir remercié le directeur de la banque de sa coopération, Kris regagna sa voiture. Il ne lui restait plus qu'à se rendre au siège de Nanosoft Computerware Corporation afin de prendre les conseils éclairés de Chad.

Joanna admirait les bardeaux enduits de goudron qui ornaient son toit.

— Je n'en reviens pas de la rapidité avec laquelle Jason a effectué les travaux.

En effet, une semaine seulement s'était écoulée depuis l'incendie et son toit était remis à neuf.

— Tu as dû tomber au bon moment, dit Kris.

Elle lui jeta un regard approbateur. En polo bleu et blanc, jean neuf et chaussures de tennis sortant du magasin, il avait fière allure. Il était également allé chez le coiffeur, mais Joanna regrettait sa coupe négligée. Ses doigts la démangeaient d'éprouver la nouvelle longueur de ses cheveux. Vaguement, elle se demanda pour qui il avait pris toute cette peine avant d'écarter la question, la jugeant déplacée.

— Je ne suis pas encore remise de la surprise que m'a infligée Wally Petersen en m'appelant personnellement pour me prévenir que mon prêt était accordé ! reprit Joanna. Il a prétendu que, ayant eu vent de l'incendie, il avait accéléré la procédure.

— Pas impossible. Après tout, dans une petite ville, tous les gens se connaissent.

— Hum. Ça ne lui ressemble guère. A mon avis, il a entendu parler d'une société qui cherchait à s'implanter dans la région, ce qui redonnerait de la valeur à mes bureaux.

— Me trompé-je en détectant un certain cynisme dans ton propos ?

Le cœur plus léger qu'elle ne l'avait eu depuis bien longtemps, Joanna éclata de rire.

— Désolée ! Je devrais simplement me réjouir d'avoir obtenu ce prêt. Je n'ai plus qu'à trouver le moyen de rembourser mes mensualités. Ce qui ne sera pas facile tant que je n'aurai pas reloué le bureau de Larry.

— Tu peux augmenter mon loyer et celui de Percy. Ça t'aidera.

— Ce ne serait guère honnête. Vous avez signé un contrat. Il y en a encore pour presque un an.

— Et ensuite, tu élèveras le prix du loyer ?

— Naturellement. J'ai des traites à payer, moi !

— Grippe-sou ! dit Kris, feignant l'indignation.

Ils contournèrent le bâtiment afin d'admirer le travail du charpentier. Le vieux chêne avait pris les tons pourpres de l'automne. Le temps s'était considérablement refroidi et l'air sentait la pluie. On pouvait donc dire que le prêt était arrivé juste à temps. Quand ils regagnèrent le parking, Agnès vint à leur rencontre, accompagnée d'un homme aux cheveux blancs, grand et élégant, vêtu d'un costume chic.

Elle leur adressa de grands signes de la main.

— Tu étais donc là, ma chérie !

Elle semblait particulièrement alerte. Tandis que, soulevant sa jupe d'une main, elle enjambait un tuyau de drainage, son compagnon s'empara galamment de son bras pour l'aider.

— Bonjour, maman. Je m'apprêtais à rentrer.

— Tu te rappelles Herbert Parkin, n'est-ce pas ?

Des yeux clairs à l'expression intelligente se posèrent sur elle. Cet homme qui n'était plus tout jeune respirait la vigueur et la santé.

Joanna secoua la tête.

— Désolée...

— Tu avais environ dix ans la dernière fois que tu as vu Herbert, ma chérie. Tu avais encore des nattes et des bobos aux genoux. Je dois dire que tu es devenue une ravissante jeune femme... Herbert était un ami de ton père. Ils sont allés à l'école ensemble.

— J'étais ton ami aussi, Agnès, dit Herbert d'un ton de reproche.

Agnès rosit.

— Je le sais bien, Herbert. Seulement, j'ai commencé à sortir avec Alexander dès le collège.

— A mon immense regret.

— Flatteur, va ! Toutes les filles se pâmaient à tes pieds. Je ne t'intéressais pas le moins du monde.

Interrompant ce petit marivaudage, Joanna présenta Kris à Herbert.

— Kris loue un de mes bureaux, expliqua-t-elle. C'est un inventeur.

Les deux hommes se serrèrent la main.

— Ravi de faire votre connaissance, dit Kris. Mme Greer est une femme délicieuse, et une cuisinière hors pair qui a la gentillesse de m'inviter à dîner de temps à autre.

— Je n'ai pas eu cet honneur depuis bien longtemps, dit Herbert, jetant un coup d'œil de biais à Agnès.

— Voyons, Herbert, tu es le bienvenu !

Agnès lui tapota le bras.

— Ce pauvre Herbert a perdu sa femme il y a un an. Ils vivaient à San Francisco. Maintenant, il songe à revenir s'installer dans nos montagnes.

— Quel métier exercez-vous ? s'enquit Kris.

— Courtier en Bourse. Peut-être avez-vous entendu parler de la firme Turner, Parkin et Joiner ?

— Bien sûr. Spécialiste du capital-risques. Je crois me rappeler que vous avez travaillé avec Nanosoft Computerware Corporation...

La tête penchée sur le côté, Herbert étudia Kris.

— C'est exact. Je connais personnellement Chad Harris, le P.-D.G. de la société. Notre coopération s'est révélée très fructueuse.

— Je sais.

— A mon avis, les compétences techniques de N.C.C. n'ont pas leur égal sur le marché.

Le large sourire de Kris concurrençait celui de M. Parkin. Joanna se demanda pourquoi une telle chaleur, soudain, entre les deux hommes...

— Herbert voudrait visiter notre bureau vacant, expliqua Agnès.

Etant donné que ce dernier venait de déclarer qu'il prenait sa retraite, le fait surprit Joanna.

— Plusieurs de mes clients souhaitent que je continue de gérer leur portefeuille, ajouta Herbert. Avec fax et courrier électronique, peu importe que mon bureau se trouve à San Francisco ou n'importe où dans le monde...

Avec cet air très digne qui le caractérisait, il se tourna vers Agnès et sourit.

— Seulement, moi, je vois un grand avantage à résider à Twain Harte.

— J'apprécie énormément de m'être installé ici, dit Kris. Et je dois ajouter que ces dames sont des propriétaires comme on en rencontre peu.

Sans s'appesantir sur la signification des regards qu'échangeaient les deux hommes, Joanna invita Herbert à visiter le bureau récemment libéré par Larry. Pourvu seulement que ce M. Parkin n'ait pas de vues sur sa mère... A son âge ! Encore qu'elle doive reconnaître qu'Agnès se montrait particulièrement lucide cet après-midi-là, pleine d'effervescence. C'était un jour pourpre, et ses cheveux tiraient davantage vers le violet agressif que vers le gris-bleu qui eût convenu. Cependant, ni Kris ni Herbert ne semblaient s'arrêter à ce détail.

— Ce local me convient parfaitement, déclara Herbert après un rapide examen du bureau.

— Fantastique ! s'exclama Agnès, se suspendant au bras de son vieil ami. Si tu veux te donner la peine de m'accompagner à la maison, nous pouvons signer le contrat tout de suite.

— J'espère que tu me feras un prix en souvenir du bon vieux temps.

— N'y compte pas, mon cher. Je pense au contraire doubler le loyer et manger mes revenus en te préparant de bons petits plats le plus souvent possible !

— J'en serai ravi.

Stupéfaite, Joanna regarda s'éloigner le couple, bras dessus bras dessous.

— Telle mère, telle fille ! dit Kris en riant. Toujours prêtes à tirer avantage de leurs locataires.

— Je crains plutôt que ce M. Parkin... Enfin, certains hommes peu scrupuleux s'intéressent aux femmes pour leur argent.

Il glissa un bras autour de ses épaules.

— Ne te tracasse pas pour Herbert. Il serait en mesure d'acheter la moitié de San Francisco s'il le désirait. Et n'en serait pas moins riche pour autant.

— Tu le connais vraiment ?

— Mais oui. Il est le meilleur dans sa partie.

Joanna avait maintenant une nouvelle raison de s'inquiéter. Quand cet homme si digne se rendrait compte que sa mère perdait la tête, il s'enfuirait à toutes jambes, laissant la pauvre femme le cœur brisé.

Joanna coula un regard vers Kris. Ce ne serait qu'une répétition de l'histoire...

En fin de semaine toutefois, Joanna se souciait bien plus du comportement de Paul et d'Isabel Currant que de celui de Herbert Parkin. Les deux entraîneurs avaient fait une fois de plus faux bond à leurs joueurs, cette fois pour aller roucouler dans quelque secrète retraite pendant que l'équipe devait jouer son dernier match de la saison ; un match *très* important.

— Ignorent-ils donc que les enfants ont besoin de stabilité avant tout ? maugréa Joanna, arrivant sur le terrain peu avant l'heure du match. Les adultes devraient un peu se soucier de leurs enfants !

Kris la rejoignit avec son habituelle brassée de livres, qu'il laissa tomber dans l'herbe.

— J'ai discuté avec les autres entraîneurs. Je pense que nous pouvons battre cette équipe grâce à mes bottes secrètes.

Curieuse d'apprendre d'où lui venait ce nouveau savoir

stratégique, Joanna jeta un coup d'œil à ses livres. Deux titres lui sautèrent aux yeux. *Parler le langage de l'amour* et *Faire sa cour au XIXe siècle.*

La stupéfaction la cloua sur place. De quel genre de stratégie s'agissait-il donc là ?

— J'imagine un double revers, poursuivit Kris, trop absorbé par son propos pour s'apercevoir de sa réaction. Le mouvement peut surprendre les autres, non ? Qu'en penses-tu ?

En vérité, le cerveau de Joanna refusait de fonctionner. Une seule idée l'obsédait. Qui Kris courtisait-il ? Elle ou bien une autre ? Cette dernière éventualité lui broyait le cœur. Ce qui était stupide. Kris avait parfaitement le droit de...

Joanna jugula une violente envie d'éclater en sanglots.

— Je crois qu'il vaut mieux en rester à un jeu classique et les encourager simplement à faire de leur mieux.

La déception assombrit les traits de Kris.

— Vraiment ? Je pensais aussi à une feinte et à une passe arrière qui laissent entrevoir d'intéressantes possibilités.

— Tant qu'ils ne sont pas entraînés à ces exercices, le plus simple est le mieux.

Kris haussa les épaules.

— Comme tu voudras. Après tout, tu en connais plus long que moi...

— Pas vraiment.

Elle n'avait pas potassé comme lui le sujet. Tout comme elle ignorait tout de l'art de faire sa cour au siècle dernier. Sa dernière aventure, des années auparavant, s'était soldée par un échec.

Tout cela était à peu près aussi énigmatique à ses yeux que la fission nucléaire, et à peu près aussi dangereux.

Le match se déroula sans que Joanna participe beaucoup. Elle applaudit et se lamenta aux moments voulus et offrit des boissons fraîches aux joueurs durant les arrêts de jeu, ainsi que des encouragements. Cependant, elle ne cessait de penser au mystère des livres de Kris qui gisaient là où il les avait laissés, près du banc, comme pour la narguer.

Que mijotait Kris ? Elle avait bien remarqué qu'elle lui plaisait ; néanmoins, ces derniers temps, il ne s'intéressait plus du tout à elle, du moins, pas de ce point de vue. Elle frissonna. Elle voulait désespérément attirer son attention, l'avoir pour elle toute seule...

Une chose était certaine : quand il avait un projet, Kris Slavik s'y consacrait corps et âme. S'il décidait de la séduire, il mettrait toute son énergie, son charme, sa drôlerie dans la balance, et elle aurait bien du mal à lui résister.

Il le faudrait pourtant. Ainsi qu'elle l'avait appris à ses dépens, le cœur est un organe beaucoup trop fragile pour qu'on joue avec.

A moins d'une minute de la fin du match, l'équipe adverse menant par quatre points, Kris demanda un arrêt de jeu et fit signe aux attaquants de le rejoindre sur la touche.

— Que fais-tu ? s'enquit Joanna.

— Si nous devons gagner ce match, c'est maintenant ou jamais. Je vais leur conseiller la passe arrière.

— Tu en crois Cody capable ?

— En tout cas, je vais lui donner sa chance.

Kris rassembla les enfants autour de lui et ils étudièrent ensemble le schéma du manuel. Puis il renvoya les joueurs sur le terrain avec force encouragements.

Tandis qu'ils se mettaient en place, Joanna croisa les doigts. Le jeu démarra tranquillement. Tyler fit une passe à Cody qui s'élança en courant sur sa droite, poursuivi par deux joueurs. Et soudain, il fit une magnifique passe en spirale vers l'ailier.

— Ce que j'aimerais être capable de ça, murmura Kris. Ce gosse est un vrai pro.

L'action s'accéléra quand l'attaquant sauta pour atteindre le ballon en même temps qu'un défenseur. Le ballon rebondit, un autre défenseur plongea et s'en empara.

Interception.

Un concert de lamentations s'éleva d'un côté des gradins tandis que l'autre retentissait de joyeuses acclamations.

Tyler et Cody quittèrent le terrain complètement abattus.

— Bien joué, les gars ! s'exclama Kris, distribuant au passage des tapes dans le dos et sur les casques. Jolie passe, Cody.

— Ça ne nous a pas empêchés de perdre.

— Vous leur avez donné du fil à retordre. Vous êtes des battants. Tous.

Tyler regarda Kris.

— Cela signifie-t-il que nous avons quand même droit à des pizzas ?

— Naturellement ! Toutes celles que vous voudrez. C'est moi qui régale.

Une absurde émotion s'empara de Joanna. Elle aurait voulu serrer dans ses bras Tyler et Cody et Kris, mais supposait qu'ils n'apprécieraient guère ces démonstrations publiques d'affection.

Prétextant la fatigue, elle rentra chez elle pendant que les autres allaient se régaler de pizzas.

Lorsqu'elle pénétra dans la salle de séjour, elle fut assaillie par un invraisemblable parfum de fleurs.

— Ne sont-elles pas superbes ? s'enquit sa mère, apparaissant les bras chargés de roses rouges. Herbert les a envoyées. Il est merveilleux.

— Euh... oui.

Joanna se morigéna. Elle n'avait aucun droit d'espérer que...

— Il est arrivé un bouquet pour toi, ma chérie.

— De la part d'Herbert ?

Agnès arrangea les fleurs dans un vase puis recula d'un pas pour juger de l'effet.

— J'espère que tu ne m'en voudras pas. J'ai jeté un coup d'œil à la carte.

— Non, bien sûr, dit Joanna, contenant son irritation.

Encore un peu et elle se mettait à hurler.

— Un cadeau accompagne ces fleurs, dans un joli emballage avec ruban et tout. Je n'ai pas ouvert. Je ne crois pas que ce soit à moi de le faire.

— Maman ! Où sont ces fleurs ?

Agnès battit des paupières.

— Dans ta chambre, bien sûr. Où veux-tu que je les mette ?

Le bouquet, en fait une composition automnale de feuillages où s'entremêlaient des branches couvertes de mûres, était arrangé avec un soin exquis. Ce n'était pas Herbert qui avait expédié ce bouquet. Seul Kris connaissait son amour des mûres. Le gribouillage tenant lieu de signature de la carte confirma les soupçons de Joanna.

Kris.

Elle se laissa tomber sur son lit. Il n'aurait pas dû se montrer si attentionné. Personne n'avait le droit de l'émouvoir à ce point.

D'une main tremblante, elle s'empara de la boîte nichée au cœur des feuillages. Il s'agissait d'un livre, constata-t-elle en déballant le présent. Les *Sonnets* de Shakespeare. Rien n'aurait pu la toucher davantage, ni lui donner autant envie de pleurer en faisant miroiter devant ses yeux des rêves impossibles.

Joanna demeura un long moment immobile. Elle entendit Tyler rentrer, crier quelque chose, puis reclaquer la porte. Puis de nouveau le silence se fit dans la maison.

Le cœur et la raison de Joanna se livraient un combat féroce. Chaque fois que ses sentiments menaçaient de l'emporter, elle pensait aux insurmontables obstacles qui se dressaient entre Kris et elle.

Finalement, elle sortit de sa torpeur.

Il lui fallait remercier Kris. Si douloureux que fût son dilemme, il ne l'autorisait pas à oublier les convenances.

9.

Joanna frissonnait en traversant la rue pour rejoindre Kris. A cause de la fraîcheur de l'air, ou de son anxiété, elle n'aurait su le dire...

La lumière brillait dans son bureau. Comment vivait-il ? se demanda-t-elle. Sachant qu'il y dormait et y prenait certains de ses repas, Joanna ne s'était jamais permis d'y pénétrer. A présent, la curiosité la démangeait. Elle voulait connaître les détails intimes de son existence. Laissait-il tout en désordre ou bien était-il au contraire un maniaque de la propreté ? Faisait-il son lit tous les matins ? Le lit était-il assez large pour deux ? Joanna soupira. Voilà précisément le genre de question qu'elle ne devait jamais se poser.

Elle escalada les marches du porche et frappa à la porte. Au bout de quelques instants, il ouvrit. Elle avala péniblement sa salive.

— Je viens te remercier pour ton envoi.

— La fleuriste voulait que j'expédie des roses.

— Cette composition est parfaite. Merci infiniment. Et les sonnets sont merveilleux.

— Heureux que ça te plaise.

Kris haussa les épaules d'un air gêné et se mit à se balancer d'un pied sur l'autre.

— Veux-tu entrer ?

— Juste une minute.

Quelle folie ! Puisqu'elle l'avait remercié, il ne lui restait plus qu'à se retirer. Pourtant, elle se sentait irrésistiblement attirée à l'intérieur de la pièce. Il poussa la porte, et, le cœur battant, franchit le seuil.

Au passage, Kris aspira une bouffée de son parfum, qui agit sur ses sens à la manière d'un coup de fouet.

— Décor intéressant, dit-elle sobrement.

Le regard de Kris fit le tour de la pièce, dont il prit pour la première fois conscience du désordre. Les rares meubles qu'il possédait étaient couverts de vêtements, livres, magazines, tasses sales. Pas très attirant, tout ça. Lui qui voulait impressionner Joanna !

— J'ai déniché le lit chez un brocanteur.

Ses doigts suivirent le dessin du montant du lit.

— Je l'avais remarqué en vitrine, dit Joanna. J'adore le cuivre.

— Le sommier et le matelas sont neufs. J'aime dormir sur du ferme.

Joanna sourit.

— Moi aussi.

Kris commençait à transpirer.

— Je vais débarrasser un siège pour que tu puisses t'asseoir...

Il tira une chaise de sous le bureau, déposa la pile de livres qui l'encombrait contre le mur et essuya la poussière avec sa main.

— Le ménage n'a jamais été mon fort, dit-il en manière d'excuse.

— Je vois.

— Joanna...

Il s'éclaircit la gorge et, malgré lui, son regard se dirigea vers le lit défait.

— Je ne peux m'attarder ! dit précipitamment la jeune femme. Je voulais juste te remercier.

On ne pouvait se montrer plus maladroit, se disait Kris. Chad lui avait conseillé de changer son image s'il voulait plaire, cependant, il ne suffisait pas pour cela d'acheter des vêtements neufs. Il aurait voulu recevoir Joanna dans un coquet appartement et non dans un bureau qui semblait servir d'asile à une famille de cafards en déroute !

Il essaya d'imaginer ce qu'aurait fait Chad à sa place. S'efforçant d'adopter une attitude machiste, les pouces dans les poches de son jean, il approcha de Joanna. Cette dernière se rembrunit.

— Tu as un problème ?

— Oui.

Il s'en voulait de réfléchir alors que tout ce qu'il désirait, c'était suivre son instinct.

En une enjambée, il la rejoignit et la prit dans ses bras. Quand il s'empara de ses lèvres, elle laissa échapper une plainte. La bouche de la jeune femme était douce et ardente à la fois, un cocktail qui alluma un incendie dans les veines de Kris. Il lui semblait n'avoir jamais éprouvé un aussi vif désir pour une femme. Il la serra contre lui, ses mains épousant les courbes de ses hanches minces.

Joanna se blottit contre lui comme s'ils étaient les deux moitiés d'un seul être. Douceur et fermeté, courbes et angles, ils se complétaient parfaitement. « Magnifique réalisation », pensa Kris, admiratif. Et il explora sa bouche avec une passion plus forte encore.

Les mains de Joanna se nouèrent à son cou. Son bon sens perdait la bataille. Une à une, ses préoccupations des dernières années s'effaçaient devant des sujets beaucoup plus urgents ; la chaleur des mains de Kris sur son dos, le désir qui le faisait trembler, la tension qui montait en elle et exigeait d'être apaisée.

Parfaitement consciente qu'elle n'avait pas le droit de rêver, elle ne parvenait plus à refouler son envie d'être heureuse. Dans un coin de son cœur, elle souhaitait ardemment que cette histoire finisse bien.

Au prix d'un immense effort, elle parvint néanmoins à rompre leur étreinte. Le regard de Kris se ternit.

— Pourquoi ? murmura-t-il. C'était si bon...

— Je sais, dit-elle d'une voix enrouée.

— Je ne voulais pas te bousculer.

— Tu ne m'as pas bousculée.

C'était terrible ; il semblait à Joanna n'être plus que désir...

Soudain, on frappa à la porte. « Un sursis », songea-t-elle. Un sursis qui se produisait presque trop tard. Ou beaucoup trop tôt.

— J'ai oublié de dire à maman où j'étais ! s'exclama-t-elle.

Kris jura entre ses dents.

— Ouvre, toi. J'aime beaucoup ta mère, mais en ce moment précis, je n'ai guère envie de faire la causette avec elle.

Joanna n'en avait guère envie non plus, avec ses joues rougies, son cœur qui battait la chamade, ses lèvres encore humides du baiser de Kris.

Au second coup frappé, Joanna alla ouvrir la porte. Ce n'était pas Agnès, mais Percy, accompagné d'une jeune femme.

— J'ai vu de la lumière et... Oh ! vous êtes là, Joanna.

Le visage de l'arrivant s'éclaira d'un sourire.

— Tant mieux. Je voulais vous présenter Imogene. Nous...

Il rougit.

— Enfin, elle et moi... envisageons de... nous fiancer.

— C'est... merveilleux, bredouilla Joanna, ravalant une brusque amertume.

Il lui paraissait profondément injuste de rester la seule sans partenaire.

Le manque de beauté d'Imogene se trouvait compensé par un radieux sourire et une flamboyante chevelure rousse.

— Maman est ravie, ajouta Percy.

Et lui aussi, manifestement. Les boutons de sa veste semblaient sur le point de sauter tant il se gonflait d'orgueil.

— J'en suis sûre.

— J'ai suivi votre exemple, Joanna. J'ai passé une annonce !

— Bonne idée.

Par-dessus son épaule, Joanna jeta un coup d'œil à Kris. A en juger par l'éclat jaloux de son regard, elle comprit que leur relation s'était subtilement modifiée. Il savait qu'elle avait été à deux doigts de lui céder et que ce ne serait plus qu'une question de temps. Il allait évidemment développer une nouvelle stratégie à laquelle elle était certaine de ne pouvoir résister.

Kris la rejoignit à la porte.

— Entrez donc. Il doit me rester de la bière. Nous allons fêter l'événement.

Autant se montrer poli puisque, de toute façon, l'ambiance n'y était plus, se disait-il.

Imogene sourit timidement.

— Mieux vaut ne pas nous attarder. La mère de Percival nous attend. Elle est si bonne ! J'ai perdu la mienne à l'âge de neuf ans, et c'est comme si je la retrouvais un peu à travers elle.

Elle glissa son bras sous celui de Percy.

— Nous y allons, mon chou ?

— Quand tu veux, mon lapin.

— Je m'apprêtais aussi à partir, se hâta de dire Joanna. Je vous accompagne jusqu'à votre voiture.

Kris lui prit la main.

— Déjà ?

La brève hésitation de Joanna ranima l'espoir de Kris de la voir rester.

— Je crois préférable de prendre le temps de réfléchir, murmura-t-elle pourtant.

Sans le quitter des yeux, elle libéra ses doigts de son étreinte. Un instant plus tard, elle avait franchi la porte.

En regardant Joanna s'éloigner en compagnie des deux tourtereaux, Kris convint que Chad avait raison. S'il voulait parvenir à ses fins, il lui fallait frapper un grand coup !

Qu'à cela ne tienne, la difficulté ne l'effrayait pas.

Cependant, une pensée lui traversa l'esprit et, brusquement rembruni, il enfouit ses poings dans ses poches. Des roses auraient peut-être été préférables...

Seigneur ! La difficulté de la théorie quantique n'était rien comparée à l'art de courtiser une femme. A moins que, se dit-il dans un accès de doute inhabituel, il ne déplaise à Joanna...

Joanna n'était pas jalouse.

Ce n'était pas parce qu'elle avait aperçu une superbe blonde discuter avec Kris devant chez lui qu'elle avait obliqué sur le parking, au lieu de filer directement chez elle après la classe. Simplement, elle n'avait pas vu Kris depuis deux jours et avait envie de s'arrêter pour lui dire un petit bonjour.

Feignant une totale décontraction, elle se gara et prit le temps de descendre de voiture.

— Oh, tu tombes à pic, Joanna ! Je voulais justement te présenter quelqu'un.

C'était plutôt rassurant. S'il s'était agi d'une rivale,

Kris aurait été moins pressé de la lui présenter. Tout de même, elle n'appréciait guère de le voir converser avec une jeune femme aux jambes si longues et à la chevelure si impeccablement coiffée qu'elle semblait sortir d'un studio de photographie.

— Joanna, voici Rochelle, ma sœur. Rochelle, je te présente Joanna Greer, ma propriétaire.

Un intense soulagement s'empara de Joanna, qui s'en voulut aussitôt d'éprouver un sentiment aussi stupide que la jalousie. Kris était libre, après tout. Il avait parfaitement le droit de fréquenter qui il voulait. Malgré tout, elle était incroyablement heureuse d'apprendre que la ravissante créature n'était autre que sa sœur.

— Ravie de vous rencontrer, dit-elle.

— Moi de même.

Elles se serrèrent la main. Rochelle ressemblait à son frère. Cependant, si elle possédait les mêmes yeux gris, pétillant d'intelligence, il manquait à sa physionomie la chaleur de son sourire.

— Joanna habite de l'autre côté de la rue, précisa Kris.

Le regard de Rochelle suivit la direction indiquée.

— Il ne s'agit tout de même pas de la maison décorée de ces ridicules moulins à vent, dit-elle, levant un sourcil réprobateur.

Joanna se raidit.

— C'est mon père qui les a fabriqués.

— Je les trouve sublimes, intervint Kris. J'ai même réfléchi au moyen de transformer l'énergie qu'ils fournissent en électricité.

— Tu es donc toujours décidé à gâcher tes talents, grand frère.

Kris haussa les épaules avec insouciance.

— Rochelle est venue me faire la morale, expliqua-t-il.

Ce fut au tour de Joanna de froncer les sourcils.
— Tout ce chemin pour ça ?
— Nos parents s'inquiètent pour Kristopher. Je disposais d'un peu de temps, alors ils m'ont demandé de venir.
Joanna trouva curieux que les parents de Kris ne se soient pas déplacés eux-mêmes. Elle avait toutefois déjà compris qu'il n'avait pas grandi au sein d'une famille très affectueuse. Et sa sœur avait apparemment hérité de la même froideur.
Kris glissa un bras autour des épaules de Joanna.
— Nos parents sont persuadés que je gâche ma vie en m'installant dans les montagnes.
— Tu les as déjà énormément contrariés en abandonnant une brillante carrière de chercheur pour fonder ta propre société. Et maintenant...
Rochelle examina le modeste cadre avec un évident dédain.
— Tu t'es enterré si loin dans les bois que tu pourrais aussi bien vivre en Ukraine ! Comment peux-tu espérer apporter ta contribution au bien public si tu perds ton temps dans un endroit où manque la plus élémentaire stimulation intellectuelle ?
— Je crois entendre parler maman...
L'attitude hautaine de Rochelle commençait à agacer sérieusement Joanna.
— Veuillez m'excuser, dit-elle, mais les dons de Kris ont rendu possible à un enfant aveugle de participer à une course de V.T.T. Il me semble qu'il a fait là un immense cadeau à notre communauté d'hommes des bois.
Rochelle haussa des sourcils parfaitement dessinés.
— Vous me faites rire. Avec ses dons, Kris peut résoudre des problèmes à l'échelle de la planète !
— Vous auriez dû voir le sourire de cet enfant quand il a franchi la ligne d'arrivée.

A présent, Joanna était vraiment hors d'elle. Elle ne supportait pas qu'on critique Kris après ce qu'il avait accompli pour Pete.

— Aucun de vos robots ne saurait illuminer pareillement la vie d'un enfant ! ajouta-t-elle.

— Mes travaux en robotique révolutionneront la technologie industrielle dans les années futures, rétorqua Rochelle.

— Ma sœur est encore plus douée que moi, souligna Kris.

— C'est parfait. Nous avons certainement besoin de gens comme elle. Je reste cependant persuadée que pour le bien de l'humanité, il faut aussi des gens capables de se pencher sur les problèmes d'un individu particulier.

Rochelle esquissa une moue.

— De toute façon, Kris, tu n'en feras qu'à ta tête, comme d'habitude.

Avec un hochement de tête, elle jeta un dernier coup d'œil aux moulins dont les ailes tournoyaient gaiement sous l'effet de la brise.

— Peut-être nous reverrons-nous, dit-elle à Joanna.

— Je me rends rarement à Boston.

— Je m'en doute.

Elle effleura la joue de Kris d'un baiser distant.

— N'oublie pas que nous sommes prêts à t'accueillir au cas où tu déciderais de réintégrer le monde des vivants.

Kris lui sourit tandis qu'elle montait en voiture.

— Explique à papa et maman que tu as fait de ton mieux ! lui cria-t-il.

Joanna ne regretta pas de voir s'éloigner la jeune femme. Elle avait toutefois appris une chose importante. Si elle laissait parler son cœur, elle irait au-devant d'une déconvenue. Car jamais les parents de Kris ne l'admettraient, ni elle ni l'excentrique Agnès, au sein de leur digne famille. Rochelle avait été très claire sur ce point.

— Merci, dit Kris.

Joanna leva les yeux vers lui.

— Pourquoi ?

— Pour avoir pris ma défense. Peu de gens osent défier ma sœur.

— J'ai vu rouge, tu comprends. Je trouve injuste qu'elle te reproche d'avoir monté une société qui a fait faillite. Au moins, tu as essayé.

— Ça t'est complètement égal, ce que je fais pour vivre ?

— Aussi longtemps que tu ne pilles pas de banques !

Eventualité qui avait effleuré Joanna le premier jour, quand Kris avait sorti son rouleau de billets de sa poche.

— Ma compagnie n'a absolument pas fait faillite, Joanna.

— Vraiment ? Mais alors... ?

— J'ai volontairement quitté la tête de Nanosoft Computerware Corporation, la compagnie dont le chiffre d'affaires grimpe à toute vitesse. Elle m'appartient.

— Nanosoft..., murmura Joanna. C'est pour ça que tu as pu faire don de tous ces ordinateurs à l'école ?

— Eh oui !

Joanna essayait de remettre de l'ordre dans ses idées. Fondateur de Nanosoft, Kris aurait dû être à la tête d'une jolie fortune, et pourtant, il vivait sur un pied plus que modeste. Son lit provenait de la boutique d'un brocanteur, sa garde-robe se composait de jeans usagés et de trois paires de tennis trouées, et il conduisait une voiture qui datait d'avant-guerre...

Au fait, où se trouvait sa voiture ? On n'apercevait sur le parking qu'un pick-up dont le pare-brise portait encore le papillon du magasin.

Comme s'il lisait dans ses pensées, Kris poussa Joanna vers le véhicule.

— Viens, je t'emmène faire un tour.

— Il est à toi ?

— Parfaitement ! Il était temps que j'offre à l'Oldsmobile des funérailles décentes.

Joanna s'installa sur le siège du passager, humant avec plaisir la luxueuse odeur de cuir neuf.

— Avec toi, pas de demi-mesure, n'est-ce pas ?

— J'ai bien réfléchi. Tout bien considéré, ce modèle répond à mes besoins.

— Et tu pouvais te permettre de l'acquérir ?

— Sans problème !

— Je vois, dit-elle, alors qu'en réalité elle nageait dans le brouillard. Ainsi, tu m'as menti en te faisant passer pour un inventeur ?

— Pas exactement. Je détiens personnellement les droits d'exploitation de plusieurs logiciels. Seulement, je pensais qu'un inventeur t'impressionnerait davantage qu'un concepteur de logiciels !

Elle scruta son profil avec curiosité. Une part d'elle-même se disait qu'elle ignorait à peu près tout de son passé ; l'autre se contentait d'admirer l'homme qu'il était devenu. En ce qui concernait les relations amoureuses, l'argent ne comptait pas pour elle. Non, ce qui la gênait, c'était d'imposer à autrui une femme qui perdait la tête. Encore que, depuis l'arrivée d'Herbert Parkin à Twain Harte, Agnès semblait avoir recouvré sa vivacité d'esprit. Son soupirant sortait avec elle presque tous les soirs, et quand ils ne se voyaient pas, ils discutaient des heures durant au téléphone. Tyler se plaignait même de ne plus pouvoir appeler ses copains...

Kris avait emprunté une route qui serpentait à travers la forêt et débouchait sur un luxueux ensemble de vastes demeures, chacune environnée d'un terrain d'au moins deux hectares de pelouse et de bois. Kris obliqua sur une allée circulaire et s'immobilisa devant l'une d'elles.

— Pourquoi t'arrêter là? s'enquit Joanna.

— J'ai consulté un agent immobilier l'autre jour. Parmi ce qu'il m'a proposé, deux maisons me plaisent, et je voudrais ton avis.

Joanna écarquilla les yeux.

— Tu envisages d'acheter l'un de ces palaces?

La maison, une construction de brique à un étage, de style campagnard, se dressait au milieu de pelouses soigneusement entretenues et de parterres fleuris. Au-delà de la barrière du jardin s'étendait un paysage naturel de pins, de cèdres et de chênes. De l'arrière de la maison, on jouissait d'une vue sur les montagnes au sud, et sur la vallée à l'est. Cette propriété valait une fortune, se dit Joanna. La pensée l'étourdit quelque peu.

— La maison est libre. Je n'ai pas la clé mais nous pouvons examiner les alentours de plus près.

Il l'aida à descendre de voiture. Lorsqu'il lui prit la taille d'un air de propriétaire, elle frémit de plaisir. C'était vraiment étrange. On aurait dit un couple visitant la maison qui abriterait leur lune de miel prochaine.

— Je sais que ça ne me regarde pas, Kris, dit-elle, et je comprendrais que tu refuses de me répondre. Es-tu vraiment si riche que *ça*?

Ils se tenaient côte à côte sur la terrasse de bois de séquoia surplombant les contreforts de la Sierra. Le soleil de l'après-midi baissait déjà; entre les flancs escarpés, la vallée baignait dans une brume rosée. Par temps clair, on devait apercevoir Yosemite Park. Devant ce lieu baigné par les derniers rayons du soleil, Joanna demeurait pétrifiée d'admiration.

— Au bas mot, je vaux quelque chose comme vingt millions de dollars.

Elle tressaillit et reporta son regard sur Kris.

— Tu plaisantes ?

— C'est pour cette raison que j'ai tout laissé tomber. Je ne voyais pas à quoi je pourrais utiliser tout cet argent.

Joanna non plus.

— Pourquoi ne me l'as-tu pas dit ?

— Cela aurait-il influé sur tes sentiments ?

— Non, répondit-elle sans hésiter. Je n'aurais pas utilisé ton argent contre toi.

Il éclata d'un rire grave et voluptueux.

Un des rêves que Joanna avait si cruellement étouffés refit surface. Un mari, un père pour Tyler, la sécurité pour sa mère. Et, plus important encore, la liberté d'aimer l'élu de son cœur...

C'était un cadre rêvé pour voir grandir et s'épanouir des enfants. Elle imaginait des nourrissons à quatre pattes sur la pelouse, face au merveilleux paysage, de jeunes enfants jouant à cache-cache au milieu des grands arbres, les amis de Tyler passant le cap difficile de l'adolescence à l'âge adulte en faisant griller des hamburgers et en admirant le coucher du soleil. La maison remplie de rires et d'amour...

Il posa un baiser sur son front.

— Alors, qu'en penses-tu ?

Des larmes de joie glissèrent sur les joues de la jeune femme.

— Elle est parfaite.

— La seconde maison n'offre pas une aussi belle vue, mais elle est plus grande et plus proche de la ville.

— Celle-ci est bien assez vaste. Et la vue est extraordinaire. On ne s'en lasse pas.

— C'est mon avis.

Ils demeurèrent silencieux, s'absorbant dans la contemplation du merveilleux spectacle jusqu'à ce que le soleil plonge derrière un banc de nuages. Presque immédiatement, la température baissa de plusieurs degrés et l'air se chargea d'une odeur de pluie.

Joanna frissonna.

— Je ferais mieux de rentrer voir ce que fabrique Tyler, dit-elle. Depuis la fin de la saison de foot, il ne sait que faire de lui-même.

L'ombre noyait les grands pins tandis qu'ils regagnaient Twain Harte. Un quart d'heure plus tard, Kris garait le pick-up près de la voiture de Joanna.

Elle mettait le pied sur le gravier quand elle s'entendit héler par la voix angoissée de Tyler.

— Maman, où étais-tu ? Je t'ai cherchée partout !

La peur s'insinua en elle.

— Que se passe-t-il ?

— C'est mamie ! Elle a pris mon surf des neiges pour descendre la colline sur les aiguilles de pin séchées ! Et elle est tombée ! Elle s'est fait mal, maman !

— Où est-elle ?

— J'ai appelé les pompiers. Je ne savais pas quoi faire !

— Tu as très bien agi, Tyler. Calme-toi et raconte.

— Ils l'ont emmenée dans une ambulance. Ils ont dit qu'ils ne pouvaient pas t'attendre. Elle était...

Le menton de l'enfant trembla.

— Enfin, ils n'arrivaient pas à la réveiller.

10.

Joanna détestait les hôpitaux ; leur odeur lui donnait la nausée. A mesure que l'ascenseur s'élevait, sa peur s'accroissait. Ici étaient morts sa grand-mère et son père. Le poids de ces douloureux souvenirs l'assaillit comme elle émergeait sur le palier du troisième en compagnie de Kris et de Tyler.

Kris lui saisit le coude.

— Tu es si pâle, Joanna. Tu ne vas pas t'évanouir ?

— Non, ne t'inquiète pas.

— Tu crois que mamie va se remettre ? demanda Tyler.

— Je l'espère, petit tigre.

Ils se hâtaient le long du couloir. Royce Morgan, le médecin de la famille Greer depuis fort longtemps, vint à leur rencontre, mains tendues.

— Comment va-t-elle, docteur ? demanda Joanna.

— Elle se maintient.

Le médecin jeta un bref coup d'œil à Kris et le salua brièvement avant de reprendre :

— Entorses aux deux genoux. Rien de cassé, heureusement. Cependant, elle a reçu un sérieux coup sur la tête.

— Est-ce grave ?

— A son âge, toute commotion est à surveiller. Encore une chance qu'elle ne soit pas cassé le col du fémur !

Le Dr Morgan hocha la tête d'un air incrédule.

— Mais qu'est-ce qui lui a pris d'aller faire de... de la luge dans les pins ?

— Va-t-elle s'en remettre ? insista Joanna.

— Elle devra consulter un kinésithérapeute pour la rééducation des genoux et un psychiatre pour son cerveau. Nous aurions dû en passer par là plus tôt.

Il sourit.

— Mais oui, elle s'en sortira.

Joanna poussa un long soupir de soulagement.

— Merci, docteur.

— Son état de confusion mentale me contrarie davantage. Depuis quelque temps, je la trouve... Eh bien, à son âge, des signes de sénilité précoce peuvent apparaître. Etant donné l'histoire familiale... Et ce choc pourrait exacerber des problèmes préexistants.

En dépit des précautions du Dr Morgan, le mot atteignit Joanna en plein cœur. Sénilité ? Impossible ! Sa mère était trop jeune, trop pleine de vie pour ça.

— Peut-on la voir ? demanda-t-elle, au bord des larmes.

— Bien sûr, ma chère enfant. Une seule personne, et ne restez que quelques minutes. Elle a surtout besoin de repos.

— Va, maman, fit Tyler. J'attendrai avec Kris.

Elle lui pressa l'épaule dans un geste qu'elle voulait rassurant.

— Je lui dirai que tu l'embrasses.

Kris caressa la joue de la jeune femme.

— Transmets-lui mes amitiés.

Elle voulut le remercier, cependant les mots ne franchirent pas ses lèvres. Les yeux pleins de larmes, elle se contenta de hocher la tête. Non, vraiment, Kris était trop bon, trop plein d'avenir pour supporter près de lui une femme précocement vieillie. L'espace d'un instant, Joanna avait commis l'erreur de laisser son amour prendre le pas sur la raison.

Elle pénétra dans la chambre. En voyant les tuyaux qui reliaient sa mère à des perfusions, son teint gris contrastant avec sa chevelure teinte, une vague d'amour submergea Joanna. Elle découvrait la précarité et le prix de la vie.

— Maman ?

Elle prit la main d'Agnès dans la sienne et la porta à ses lèvres. Les paupières de la malade papillotèrent. Devant son sourire si pâle, Joanna eut la sensation que son cœur se brisait.

— Quand ton père arrive-t-il, ma chérie ?

— Papa ?

— Il a prévenu qu'il serait peut-être en retard pour dîner.

Le sang de Joanna se retira de ses veines.

— Ne t'inquiète pas pour lui, murmura-t-elle.

Et, se penchant, elle embrassa le front de sa mère.

— Le Dr Morgan dit que tu dois te reposer pour être très vite sur pied.

— Je suis si lasse. Et puis, j'ai terriblement mal à la tête. Je voudrais que ton père...

— Je sais, maman. Je sais.

Joanna tapota la main de sa mère puis attendit qu'elle se rendorme. Alors, des larmes trop longtemps contenues inondèrent ses joues. A présent, sa voie était toute tracée.

Il était presque minuit quand les infirmières convainquirent Joanna de quitter le chevet de sa mère pour rentrer coucher son fils.

Kris conduisait par les rues luisantes de pluie. La sombre et morne nuit s'accordait à l'état d'esprit de Joanna. Les lampadaires eux-mêmes ne dispensaient qu'un faible halo de lumière sous la pluie battante.

Tyler titubait de fatigue en franchissant le seuil.

— Maman est-ce que je peux rester à la maison demain et rendre visite à mamie ?

— Nous verrons, mon petit tigre. Va dormir pour le moment.

Traînant des pieds, Tyler se dirigea vers sa chambre.

— Tu as également besoin de sommeil, fit remarquer Kris.

Il attira Joanna dans ses bras. Elle résista d'abord un peu, puis se rendit compte qu'elle avait désespérément besoin de lui. Il était si solide, physiquement et moralement ! Ç'aurait été si bon de se reposer sur lui, mais aussi tellement déloyal... Elle ne se rappelait que trop clairement sa dernière discussion avec le père de Tyler...

— Ils sont tous cinglés dans ta famille ! Tu sais comment les copains te surnomment ? La fille aux moulins à vent. Mes parents feraient une crise cardiaque si je t'épousais !

— Dans ce cas, pourquoi m'as-tu courtisée ?

— Pour coucher avec toi, cette idée !

— C'est tout ce que tu voulais ? Pourtant, tu disais...

— Je disais ce qu'il fallait pour parvenir à mes fins ! Ecoute, bébé, sérieusement, il n'est pas question que je t'épouse ! Je suis sûr qu'en vieillissant tu deviendras exactement comme tes parents. Je ne veux surtout pas voir ça.

— Et le bébé ?

— Fais-en ce que tu veux. Ça ne me concerne pas.

⁂

Et à présent, l'accident de sa mère semblait confirmer ces terribles prévisions... Joanna devait se rendre à l'évidence : on n'était pas normal chez les Greer.

Kris l'embrassa légèrement sur le front.

— Je sais que ce n'est guère le moment, cependant, si la maison dans la montagne te plaît vraiment, il faudrait que je fasse une offre. Je détesterais me faire prendre de vitesse par un autre acheteur.

Un froid mortel envahit Joanna. Elle n'avait pas le droit de le laisser continuer dans cette voie. Rassemblant tout son courage, elle recula d'un pas.

— A toi de décider, Kris. C'est toi qui vivras là-haut, pas moi.

— Je croyais...

— Maman est si mal que je ne peux penser qu'à elle. En supposant que son état s'améliore, elle rentrera à la maison d'ici quelques jours, et je devrai lui consacrer mon temps et mon énergie.

Kris fronça les sourcils.

— Ce qui signifie ?

Elle reçut bravement le choc de son regard empreint d'une cruelle désillusion. Pour son bien, toutefois, elle devait poursuivre.

— Ça signifie... que nous ne devons plus nous voir.

Il accusa le coup.

— Je ne vois pas pourquoi !

— Ecoute, Kris, avec mes cours en plus, je vais être très occupée.

— Attends un peu avant de prendre ta décision. Tu es sous le choc. Je t'aiderai.

— S'il te plaît, Kris. Ne rends pas les choses plus difficiles.

Il reçut le message. Echec sur toute la ligne. Sa nouvelle image, quelle blague ! Même sa fortune ne lui conférait aucun prestige auprès de Joanna.

Mais enfin, il avait toujours su que toute entreprise comportait une part de risque. Il survivrait, du moins, il l'espérait.

Il se dirigea vers la porte. A trente et un ans, après une vie passée à accumuler les succès, il découvrait le goût amer de la défaite.

Il enfouit ses mains dans ses poches. Comment réagissait-on dans pareil cas ? Jamais il ne s'était senti aussi embarrassé de sa vie.

Dehors, il leva son visage vers le ciel qui déversait des trombes d'eau, et les gouttes de pluie se mêlèrent aux larmes qui coulaient sur ses joues.

11.

— Oh, quelle plaie, ce déambulateur ! maugréa Agnès qui venait de se heurter au dossier d'une chaise de la cuisine.

— Le médecin tient beaucoup à ce que tu l'utilises, rétorqua Joanna.

Elle enfourna le plat qu'elle terminait de préparer avant d'écarter la chaise du passage.

— Pas question que tu tombes et te casses le col du fémur, tu comprends.

— Se déplacer avec cet engin, c'est comme de danser le tango avec un marin ivre !

— Sois raisonnable, maman. Une semaine seulement s'est écoulée depuis ta chute.

Une semaine aussi depuis que Joanna avait vu Kris pour la dernière fois...

— Le médecin trouve que tu fais de rapides progrès.

Oui, Agnès se remettait beaucoup mieux qu'elle-même.

— Bah ! Je devrais être en train de planter mes bulbes. Tu sais combien ton père aimait voir les narcisses éclore au printemps.

— Tu pourrais planter ce que tu veux dans ton jardin si tu ne t'étais pas mis dans l'idée de piquer une tête du haut de la colline ! Franchement, maman, qu'est-ce qui t'a pris d'agir aussi... aussi...

— ... Inconsidérément ? Quand tu auras mon âge, tu apprendras qu'on a parfois envie de ruer dans les brancards et de se sentir rajeunir. Ton père et moi...

En entendant la voix de sa mère s'enrouer, une boule se forma dans la gorge de Joanna.

— Ça va, maman. Fais juste attention la prochaine fois. Je ne veux pas te perdre.

Agnès s'approcha de l'appui de fenêtre et testa du bout des doigts l'humidité de la terre des pots.

— Hum, Tyler a trop arrosé les plantes. J'espère que les racines ne vont pas pourrir. Il aurait dû faire attention.

Joanna refoula ses larmes.

— Il pensait bien faire.

— Excuse-moi, ma chérie. Je me sens tellement inutile. Que vais-je devenir si je ne peux m'occuper de mon jardin ?

— Patience, maman.

Avec le temps, la mobilité d'Agnès s'améliorerait, tout comme guérirait le chagrin de Joanna. Elle souffrirait de moins en moins en apercevant le pick-up de Kris garé sur le parking, ou bien quand des pensées interdites lui traverseraient l'esprit. Bientôt, elle cesserait de rester des nuits entières, allongée dans le noir, à rêver de lui. C'était une question de jours, ou de semaines. Ou d'années, ajouta-t-elle sombrement.

On sonna à la porte, et le fol espoir qu'il s'agisse de Kris s'empara de Joanna. Impossible pourtant. Sur sa demande, il l'évitait depuis une semaine. Il n'y avait pas de raison qu'il se présente maintenant.

— Va ouvrir, dit Agnès. Il s'écoulerait des mois avant que j'atteigne la porte.

Joanna s'essuya les mains sur un torchon et se dirigea

vers l'entrée. En ouvrant la porte, elle découvrit Herbert sous le porche, très distingué dans son imperméable en provenance directe de Londres, un pimpant chapeau sur la tête. Luttant bravement contre sa déception, elle lui retourna son chaleureux sourire.

— J'espère que votre maman n'est pas en train de se reposer, dit-il.

— Non. Elle est dans la cuisine et se fait un sang d'encre parce qu'elle ne peut planter ses narcisses pour le printemps !

Herbert désigna à Joanna une brochure à couverture glacée.

— J'ai ici de quoi lui changer les idées.

Intriguée, elle le suivit dans la cuisine. Agnès était assise à la table. Avec le plus grand naturel, Herbert se pencha et déposa un baiser sur son front.

— Comment vas-tu, ma chère ?

— Je suis si irritable que ma fille n'arrive plus à me supporter.

— Mais si, maman...

— Mon inactivité me pèse tellement !

— Je crois connaître le moyen de te guérir.

Il plaça la brochure devant Agnès.

— Que dirais-tu d'une croisière en Méditerranée ? Athènes, la Crète, Istanbul ! Vingt et un jours à te faire dorloter.

— Herbert, voyons ! Je ne peux...

— Maman se déplace avec difficulté, intervint Joanna, se demandant s'il n'avait pas, lui aussi, l'esprit dérangé.

— La croisière est prévue pour Pâques, mes enfants. D'ici là, Agnès aura si bien récupéré qu'elle sera capable de défier tous nos compagnons de voyage au jeu de palet !

Agnès toussota. Cependant, dans son regard s'était allumée une lueur d'intérêt.

— Mais la Méditerranée, Herbert. Je n'ai pas les moyens...

— Je t'invite, bien sûr.

Il s'assit près d'Agnès et posa sa main sur sa main tavelée par l'âge.

— Je serai heureux de retenir les deux meilleures cabines disponibles. Toutefois, n'étant pas homme à dilapider mon argent, je serai encore plus heureux si tu me permets de n'en retenir qu'une pour nous deux.

— Herbert ! s'exclama Agnès, rougissant comme une adolescente. Que va penser Joanna ?

Joanna réprima sa gaieté.

— Je pense que je vais corriger quelques devoirs pendant que vous réglez vos petites histoires !

Au passage, elle pressa l'épaule d'Herbert, tenant par ce geste à lui manifester sa gratitude d'avoir si bien distrait sa mère. Agnès méritait sa part de bonheur, même s'il était éphémère. Et qui sait ? Avec de tels projets, son moral et sa santé pouvaient s'améliorer de façon spectaculaire.

Environ une heure plus tard, Herbert se retira, refusant l'invitation à dîner de Joanna.

— Je ne veux pas fatiguer votre mère, déclara-t-il. Elle a de quoi réfléchir pour un moment.

— Vous êtes si bon, Herbert, dit Joanna en se dressant sur la pointe des pieds pour l'embrasser. Merci.

— Il faut que vous sachiez que j'ai l'intention d'épouser Agnès dès que possible.

La stupéfaction cloua Joanna sur place.

— Je pensais que... que vous aviez compris... Maman n'est pas toujours... Enfin, son esprit vagabonde parfois.

— Je me plais beaucoup en sa compagnie, Joanna. Voyez-vous, ma femme — que j'ai beaucoup aimée, soit dit en passant — était une personne excessivement sérieuse. Agnès m'amuse. Et si son esprit paraît dérangé, c'est simplement parce qu'elle ne s'est pas encore remise de la mort de son époux. Elle a beaucoup d'amour à donner.

— C'est vrai. Cependant, cette chute... Le choc l'a fortement ébranlée...

— Si je peux profiter seulement un an de cet amour, ou même un seul jour, je me considérerai comme le plus heureux des hommes.

Il rendit à Joanna son baiser.

— Ne vous sacrifiez pas pour votre mère, mon petit. Agnès possède une force d'âme peu commune pour son âge.

Après le départ d'Herbert, songeuse, Joanna regagna la cuisine. Sa mère était penchée sur le catalogue comme une adolescente étudiant le programme des réjouissances du collège.

— Sais-tu que j'ai toujours désiré voir le Parthénon ? demanda-t-elle sans lever les yeux des photos illustrant la brochure. Et les danseurs turcs ! Ton père aurait adoré ça.

Joanna sortit la salade du réfrigérateur.

— Certainement, maman.

— Joanna ?

La voix de sa mère était hésitante, son expression tout assombrie.

— Me jugeras-tu si Herbert devient plus qu'un ami pour moi ?

— Bien sûr que non ! Tu as droit au bonheur, et Herbert est un être charmant.

— J'aimais ton père plus que ma vie...

— Je sais. Et les deux dernières années ont été un calvaire.

— J'ai chéri chaque jour passé près de lui, même lorsqu'il était si malade. Et s'il n'avait tenu qu'à moi, je veillerais encore sur lui. Malheureusement...

Joanna s'agenouilla et enlaça sa mère. Elle lui semblait plus fragile qu'avant l'accident, et, d'une certaine façon, plus précieuse.

— J'aimerais que tu partes en croisière avec Herbert, et que tu t'amuses...

— Tu ne me trouves pas mauvaise ?

— Pas du tout. Je t'envie !

— Tu n'aurais pas à m'envier si Kristopher ne s'était évanoui dans la nature. Où est passé ce jeune homme ? Il n'est venu me voir qu'une seule fois à l'hôpital.

— Il est très occupé, maman.

Occupé à reconstruire sa vie puisque Joanna avait refusé ce qu'il lui offrait.

Elle aurait peut-être dû lui laisser le choix. Après tout, ce qui avait représenté un défaut rédhibitoire aux yeux du père de Tyler était une bénédiction à ceux d'Herbert... Cependant, si Joanna reconnaissait la différence de point de vue, au fond de son cœur, elle craignait trop de revivre le rejet qui l'avait tant blessée, à une période de sa vie où elle était particulièrement fragile, pour oser tenter de nouveau l'expérience.

L'honnêteté exigeait qu'elle avouât à Kris toute la vérité sur sa famille, et aussi sur son désir secret d'agir avec la même extravagance, désir si profondément enfoui qu'elle avait elle-même du mal à le reconnaître. Peut-être était-ce parce que Herbert acceptait totalement les bizarreries de sa mère qu'elle espérait qu'un homme pourrait également accepter les siennes...

— Qu'est-ce que tu fabriques avec tous ces vélos ?

Au son de la voix de Tyler, Kris leva les yeux du minuscule récepteur qu'il fixait au cadre d'un V.T.T.

— La Fondation des enfants malvoyants a entendu parler de notre invention, et ils veulent l'expérimenter avec leurs pensionnaires.

— Super !

Tout en inspectant la rangée de V.T.T. alignés le long du mur, Tyler faisait machinalement tournoyer son ballon de football entre ses mains. Sa veste était devenue un peu trop courte, et l'on apercevait ses chaussettes entre le bas de son jean et ses tennis usagées. « Le gosse profite aussi vite qu'un virus informatique », se dit Kris. Dur pour une mère célibataire. Il l'aurait volontiers aidée, néanmoins elle était trop fière pour accepter ce qu'elle considérerait comme une aumône.

— Pete parle déjà de s'engager dans des courses pour la prochaine saison. Il est complètement excité. Il se figure que si nous nous entraînons suffisamment, nous nous classerons honorablement dans notre catégorie.

— Je le pense aussi.

Kris admira l'aisance avec laquelle Tyler lançait le ballon en l'air et le rattrapait avec la grâce d'un athlète.

— Comment se fait-il que tu ne sois pas en classe ?

— C'est samedi, mon vieux ! Tu as perdu la notion du temps ?

— Hum, possible.

Durant les quinze derniers jours, Kris s'était jeté à corps perdu dans le travail. Il ne connaissait comme remède à l'échec que l'excitation d'un nouveau défi. L'ennui était que s'il n'avait reçu cette commande inespérée de la fondation, pour la première fois de sa vie, il aurait été à court de projets.

Tyler vint se placer devant lui.

— Comment ça se fait que vous ne vous voyez plus, maman et toi ?

— Ça ne marchait pas vraiment...

— Pour elle ou pour toi ?

— Elle consacre beaucoup de temps à ta grand-mère, tu sais.

— Je la trouve bizarre en ce moment. Elle crie après moi sous le moindre prétexte, et souvent on dirait qu'elle a pleuré.

Tyler examina son ballon.

— Tu crois que mamie peut mourir ?

— Non. J'ai parlé avec le Dr Morgan, la semaine dernière. Il est tout à fait optimiste au sujet de ta grand-mère.

D'un bond, Tyler s'assit sur l'établi.

— Alors, si mamie n'est pas en danger, elle est peut-être malheureuse parce que tu ne vas plus la voir !

Kris soupira. Quant à lui, il se sentait plus que malheureux.

— C'est sa décision, fiston. Elle refuse de me voir.

— Elle te l'a dit ?

— Très clairement !

— Et tu l'as crue ?

— Bien sûr.

Tyler faisait passer son ballon d'une main dans l'autre.

— Tu ne connais vraiment rien aux femmes. Elles te disent de t'en aller quand elles meurent d'envie que tu restes. C'est comme ça qu'elles sont !

— Je ne crois pas, dit en hésitant Kris.

Après tout, il était fort possible que Tyler s'y retrouve bien mieux que lui-même dans les méandres de la psychologie féminine.

— Essaie encore, mon vieux ! Comme quand on est sur le point de perdre un match et que tu nous pousses à donner le maximum ! Je veux dire, si tu l'aimes bien, tu ne peux pas renoncer comme ça.

— Je l'aime beaucoup.

Et plus encore... L'estomac de Kris se contracta. Rien n'y faisait, il ne parvenait pas à l'oublier.

— Tu sais, Kris, mon paternel, enfin, le type qui a mis maman enceinte, il avait beau être un grand joueur de foot, c'était quand même un dégonflé. Il nous a laissé tomber tous les deux.

Tyler sauta à terre.

— Je ne pensais pas que tu en étais un aussi, Kris. Je croyais...

Le menton de l'enfant se mit à trembler.

— Je croyais que...

Kris ne se rappelait pas que son père l'ait jamais pris dans ses bras, ce qui ne l'empêcha pas d'étreindre Tyler avec force. Il ne savait que dire, mais il comprenait intuitivement que la pire chose de la terre était probablement de grandir sans l'amour d'un père...

— Je t'aime, Kris. Tu sais... j'aurais voulu que tu sois mon papa.

Sous le coup de l'émotion, la gorge de Kris se serra.

— Tu crois vraiment que je devrais tenter ma chance auprès de ta mère ?

— Oui.

Kris respira l'odeur d'enfant de Tyler, une odeur de sueur, de shampoing et de menthe, et, de toutes ses forces, il souhaita que ce petit garçon soit le sien.

— Toi qui sembles expert en la matière, comment crois-tu que je devrais m'y prendre ?

Tyler haussa les épaules d'un air gêné.

— Je sais pas, moi. D'une manière romantique, je suppose. Elle n'arrête pas de pleurer devant ces films idiots où les gens se lèchent la figure et où on entend des violons sangloter. Beurk. C'est vraiment dégoûtant.

— Ah...

Ça n'éclairait guère la lanterne de Kris. Mais enfin Tyler comptait sur lui. Personne ne l'avait encore traité de dégonflé. Il allait lui montrer de quoi il était capable !

— Ecoute, fiston. Je vais tenter le coup.

Tyler s'essuya subrepticement les yeux.

— On se reverra, alors ?

— Compte sur moi.

Kris suivit l'enfant jusqu'à la porte.

— Eh, Tyler ! Passe-moi le ballon un instant.

Tyler le lui lança.

— Maintenant, sors. Je te fais une passe, une longue.

Un gosse aussi sportif que Tyler méritait d'avoir un père au moins capable de faire une bonne passe, se disait Kris.

Tyler courut sur le parking.

— Plus loin, cria Kris, lui faisant signe de reculer.

Avec un certain scepticisme, Tyler obtempéra.

Il se trouvait au milieu du parking quand Kris lança le ballon, qui suivit une trajectoire parfaite avant d'atterrir entre les mains tendues de Tyler.

— Bravo, entraîneur ! s'écria Tyler, courant de droite et de gauche comme pour éviter les assauts d'un adversaire imaginaire.

Kris sourit.

— Je parlerai à ta mère, fiston.

Dès qu'il aurait trouvé une bonne idée, une de celles auxquelles on ne résiste pas.

Le cœur lourd, Joanna corrigeait les devoirs de ses élèves. La pensée de Kris l'obsédait. Elle souffrait à l'idée de l'avoir blessé en le repoussant avec si peu d'explications.

Se redressant, elle s'appuya au dossier de sa chaise et ferma les yeux. Un air de violon lui parvint par la fenêtre, aussitôt repris par un deuxième instrument à cordes. Curieux que ses voisins donnent une soirée un lundi, pensa-t-elle.

Et quel étrange répertoire ; habituellement, ils préféraient le hard rock aux mélodies classiques...

Une portière de voiture claqua. Les invités arrivaient. Elle perçut un vague bruit de conversation et tendit l'oreille. Agnès s'était couchée tôt, et Joanna redoutait qu'elle ne soit dérangée. Comme tous les lundis soir, Tyler regardait le foot chez des petits camarades.

Elle se leva et se rendit à la fenêtre. De ce côté de la maison, on n'apercevait que les hautes silhouettes des pins se profilant contre le ciel noir, et la masse de la maison voisine qui semblait déserte.

La curiosité attira Joanna hors de la pièce. Qui se trouvait dehors, et pourquoi ?

Après avoir jeté un gilet de laine sur ses épaules, elle se dirigea vers l'entrée. Les accords de musique sonnaient plus nettement à ses oreilles, et elle se surprit à les trouver doux et romantiques.

Elle ouvrit la porte.

Très élégant en smoking, chemise blanche et nœud papillon, Kristopher Slavik grimpa les marches à sa rencontre.

— Bonsoir, dit-il, esquissant une révérence.

Joanna le contempla, bouche bée. Derrière Kris, elle apercevait un groupe de musiciens en train de lui donner la sérénade.

— Qui sont-ils ? demanda-t-elle quand elle eut recouvré l'usage de la parole.

— Le San Francisco String Quartet !

— Et ils ont décidé de donner un concert sur ma pelouse ? Par une nuit glacée d'automne ?

— Je leur ai offert le triple de ce qu'ils gagnent habituellement.

— Mais... pourquoi ?

Sans répondre, il désigna une voiture garée le long du trottoir.

— C'est la limousine du City Hotel. Escargots en entrée, avec un bon vin blanc. Ensuite, coq au vin ou steak à point. Et un fantastique gâteau fourré en dessert.

— Tu as commandé de quoi dîner ?

— Et pour que nous jouissions d'un peu d'intimité, j'ai loué une tente...

Joanna tourna la tête pour suivre la direction de son regard.

— Que veux-tu ! Tu as refusé de sortir dîner avec moi le premier soir, alors je me suis dit qu'il fallait que le restaurant vienne à toi. Ne t'inquiète pas : la tente est chauffée.

Le coin des lèvres de Joanna se retroussa.

— Tu es complètement fou !

Il s'approcha et prit son visage entre ses mains. Son souffle était une caresse sur les joues de la jeune femme.

— Je suis amoureux, Joanna. Je n'ai jamais très bien su m'y prendre, mais si tu m'aides, avec un peu d'entraînement, je suis sûr que j'y arriverai.

Les violons entamèrent un crescendo et, à son tour, le cœur de Joanna s'emballa.

— Tu es amoureux ?

— Oui, mais attendons d'être à l'abri dans notre petit refuge pour en discuter. Les musiciens ont froid, et le froid nuit aux instruments. Je leur ai promis qu'ils n'auraient pas à endurer longtemps ce supplice.

— Qu'arrivera-t-il quand ils se retireront ?

— J'ai installé une chaîne stéréo. Tu ne les regretteras pas.

Joanna n'en doutait pas car seul Kris, et ce qu'il lui réservait pour la soirée, lui importait.

— Si j'avais su, je me serais habillée !

— Tu es parfaite ainsi.

Kris jeta sur son vieux gilet de laine et son jean délavé

un regard si plein d'admiration que Joanna se crut une princesse vêtue de soie et de rubans. Cérémonieusement, il lui offrit le bras.

Comme promis, il régnait une douce chaleur dans la tente. Une table s'y trouvait dressée pour deux, recouverte d'une nappe blanche et ornée de bougies. Une gerbe de roses rouges diffusait son parfum dans l'air. Deux serveurs s'affairaient autour d'une seconde table supportant des plats. C'était le plus chic « repas à emporter » que Joanna ait jamais vu. Habituellement, elle se contentait de pizzas ou de spécialités chinoises.

Kris tira une chaise. Quand elle fut assise, il congédia les serveurs qui se retirèrent après une brève inclinaison du buste. Du seau à glace, il tira alors une bouteille de champagne et en servit deux coupes. Ensuite, il s'assit en face de Joanna et leva son verre.

— A nous...

Elle but une gorgée; les bulles éclatèrent contre son palais.

— Pourquoi tant d'efforts alors que je me suis montrée si dure avec toi ? Je regrette mes propos, mais j'avais mes raisons. Quoique, rétrospectivement, elles ne me paraissent plus aussi bonnes.

— Tyler t'a vue pleurer ces derniers temps.

— Tyler parle trop. Cependant, il est très observateur. J'étais affreusement malheureuse, en effet.

— Moi aussi.

Les longs doigts de Kris paraissaient à la fois forts et délicats sur le cristal de son verre. En les imaginant caresser son corps, Joanna rougit.

— Tyler m'a aussi traité de dégonflé. Et je veux lui prouver qu'il a tort. Joanna, je...

— Avant tout, tu dois m'écouter, Kris. Je ne t'ai pas tout dit.

La lueur des bougies soulignait les traits de son beau visage viril.

— Parle, dit-il.

— Ma mère n'est pas la seule de la famille à commettre des excentricités. Ma grand-mère était...

« *Folle* », avait affirmé le père de Tyler.

— Elle faisait des choses étranges, comme de décorer la maison pour Noël en plein juillet, et ramasser tous les bouts de ficelle qu'elle trouvait. Elle en avait des kilomètres et des kilomètres en sa possession.

Joanna attendit en vain la réaction de Kris.

— Quant à mon père... Eh bien, tu as vu à quoi il s'amusait. Il se passionnait pour la construction de toutes les formes possibles et imaginables de moulins à vent.

— Je comprends qu'on puisse être fasciné par l'aérodynamique. Moi-même...

Kris s'obstinait à ne pas comprendre les implications profondes de ces révélations.

— Le père de Tyler pensait que le comportement anormal de presque tous les membres de ma famille était d'origine génétique, et que je pouvais transmettre cette tare à mes enfants.

— Avait-il effectué des recherches sur le sujet ?

— Pas à ma connaissance.

— Pourquoi me racontes-tu ça, Joanna ? Je ne vois rien de particulièrement inquiétant dans le fait de fêter Noël en juillet ou de collectionner des bouts de ficelle ! Peu m'importe ce que le père de Tyler pensait de ta famille ; ça n'a rien à voir avec nous deux.

Faisait-il exprès de ne pas comprendre ?

— Tu connais ma mère. Parfois, elle ne sait plus où elle en est. Ou bien elle oublie que mon père est mort et parle de lui comme s'il allait rentrer à la maison dans la minute qui suit. Et tu as vu la façon dont elle s'habille...

Kris parut sincèrement étonné.

— Je ne vois pas ce qu'on peut lui reprocher.

— Tu n'as pas remarqué que, certains jours, elle s'habille tout en rouge, ou en jaune, ou en bleu ? A elle seule, la couleur de ses cheveux montre qu'elle n'est pas toujours en prise directe avec la réalité.

Kris sourit.

— Elle me plaît comme elle est.

— C'est vrai ?

— Je ne distingue pas les couleurs, Joanna.

Elle le considéra avec stupéfaction.

— Tu savais pourtant dès le début que mes yeux étaient bleus. Tu me l'as dit !

— Je distingue l'intensité des couleurs. Tes yeux étaient clairs ; j'ai deviné qu'ils étaient bleus.

— Ça alors ! Je ne me suis rendu compte de rien.

Encore qu'elle aurait pu se douter de quelque chose quand Kris avait conseillé à Percy d'utiliser les talents de décoratrice d'Agnès...

— C'est une anomalie héréditaire, reprit Kris. Mon oncle maternel ne distingue pas non plus les couleurs. Tu sais, Joanna, avant de craindre que je ne te reproche les excentricités de ta famille, tu devrais connaître les miennes...

— J'ai rencontré ta sœur. Je ne crois pas qu'elle approuverait notre histoire.

— Nous avons tous nos marottes. Ma mère fait cuire les repas sur un bec Bunsen — quand elle cuisine. Papa compose des poèmes en latin. Et puis, si tu me parles de la bizarrerie de tes gènes, je te renvoie à mon daltonisme !

— Cela ne change rien à mes sentiments pour toi.

Ses yeux pareils à deux taches sombres, il s'approcha d'elle.

— Qu'éprouves-tu pour moi, Joanna ?

Elle prit une profonde inspiration. L'heure de la vérité avait sonné.

— Je t'aime, Kris. Je t'aime tellement que je ne voudrais pour rien au monde être une source d'embarras ou un fardeau pour toi. Et c'est ce qui se produirait si...

— Ça m'est bien égal que tu sois porteuse de je ne sais quels gènes étranges. Je te trouve merveilleuse !

— J'ai hérité des pelotes de ficelle de ma grand-mère. Quand j'aurai le temps, j'en ferai des sets de table au crochet !

— Très bien.

— Et l'année prochaine, j'aimerais sortir les décorations de Noël en juillet. C'était drôle. Je projette d'en faire une tradition familiale.

— Magnifique ! Je t'aiderai. On n'a jamais rien décoré chez moi.

Il se pencha et l'embrassa tendrement.

— Tu sais, mon amour, j'ai abandonné Nanosoft parce que je sentais qu'il manquait un sens à ma vie. Mais je n'ai compris de quoi il s'agissait qu'en vous rencontrant, Agnès, Tyler et toi. Je veux faire partie de votre existence. Peu m'importe la couleur des habits que tu portes, maintenant ou dans vingt ans ; ou le nombre de pelotes de ficelle que tu collectionnes. Je t'aime. Je veux t'épouser et t'aider à élever ton fils.

Une joie insensée souleva Joanna. Cependant, elle refusait encore de s'y abandonner.

Du bouquet de roses, Kris tira un écrin de velours. Le regard de Joanna s'écarquilla en découvrant une bague ornée d'un magnifique diamant.

— Epouse-moi, Joanna. Allons vivre dans la montagne et admirer des milliers de couchers de soleil de notre terrasse. Tyler est l'enfant de mon cœur, mais si tu veux bien envisager d'en avoir d'autres, je peux te jurer qu'ils adoreront fêter Noël en juillet !

L'idée de porter les enfants de Kris comblait Joanna de joie. Oh, voir s'épanouir son beau sourire sur un visage d'enfant !

— Tu sais que j'ai des dettes...

— Tout se résoudra si tu m'épouses. Je t'en prie, accepte !

Joanna ferma les yeux. La joie menaçait de l'anéantir.

— J'accepte, murmura-t-elle.

Kris glissa la bague à son doigt.

— Tyler avait raison : on ne doit jamais renoncer à ce qui nous tient à cœur.

Elle regarda le diamant dont les facettes accrochaient la lumière des bougies.

— Je suis heureuse d'avoir un fils aussi sage.

— Et moi une fiancée aussi adorable !

— Tu es un génie !

Kris se leva et aida Joanna à faire de même. Alors, il se pencha et prit ses lèvres pour un baiser rempli d'amour, de passion et de la promesse de lendemains heureux.

— Sais-tu qu'un homme marié vit en moyenne six ans de plus qu'un célibataire endurci ? chuchota-t-il à son oreille quand il desserra leur étreinte.

Joanna éclata de rire.

— Dois-je comprendre que c'est par pur égoïsme que tu as demandé ma main ?

— Pas du tout. Je pensais seulement combien j'allais apprécier chaque instant de ces six années supplémentaires et de toutes celles qui m'en séparent. D'ailleurs, je compte commencer à en profiter immédiatement.

— Moi aussi, chéri. Moi aussi...

Épilogue

Tout en se dirigeant vers le porche, Joanna s'extasia une fois de plus sur le talent de l'architecte qui avait si heureusement intégré la demeure dans le somptueux paysage des contreforts de la Sierra. La vue dont on jouissait à travers les baies coulissantes du salon lui procurait un plaisir toujours renouvelé.

— Kris, es-tu là ? appela-t-elle.

En trois mois de mariage, elle avait appris que la présence du pick-up de Kris ne signifiait pas qu'il l'attendît. Ses activités l'absorbaient tellement que, la plupart du temps, il ne l'entendait même pas rentrer.

Joanna déposa ses affaires de classe sur le bar de la cuisine et partit à sa recherche.

Son bureau était un entrelacs de câbles électriques reliés à des ordinateurs et à un équipement périphérique sophistiqué. Elle s'approcha, glissa les mains sur les épaules de son mari et l'embrassa dans le cou.

— Alors, on travaille dur ?

Il sauvegarda son travail avant de s'emparer de ses poignets.

— Bonne journée ? s'enquit-il.

Et il se tortilla sur son siège de manière à lui embrasser la joue.

— Les enfants sont toujours agités à la rentrée. Celle des vacances de Pâques n'échappe pas à la règle.

— Nous avons reçu une carte postale de ta mère. Il semblerait qu'elle ait gagné le prix du meilleur déguisement lors d'un bal donné sur le paquebot. Elle était toutefois un peu ennuyée : elle ignorait qu'il s'agissait d'une soirée costumée et avait simplement enfilé sa plus jolie robe !

— Pauvre maman. Il n'y a qu'à elle qu'il arrive des choses pareilles. J'espère que l'aventure n'a pas trop contrarié Herbert.

— Ça m'étonnerait. Elle est plutôt drôle !

Kris se leva et attira Joanna contre lui.

— Je t'aime, dit-il simplement.

— Moi aussi.

Il enfouit son visage au creux du cou de sa femme ; ses baisers la firent frissonner de plaisir.

— Je suis passé à la librairie aujourd'hui, dit-il.

Le regard de Joanna s'arrêta sur la pile de livres qui encombrait son bureau.

Apprendre le métier de parents, *Attendre un enfant*, *La Première Année de bébé.*

Elle ouvrit de grands yeux.

— A ce que je constate, tu as un nouveau projet en tête.

— Eh bien, nous prenons de l'âge, non ?

— Un âge certain.

— Tu reconnais donc qu'il est temps de se préoccuper de donner à Tyler un frère ou une sœur ?

— Je ne suis pas assez folle pour discuter ce point avec mon mari.

Sans effort, il la souleva dans ses bras et la porta jusqu'à leur chambre.

— Voyons, Kris ! Cela ne presse pas à ce point ! Et Tyler ? Il va rentrer d'un instant à l'autre.

— As-tu déjà oublié que ton époux est un génie ? Afin de travailler le plus rapidement possible à mon nouveau projet, j'ai suggéré à Tyler de passer la nuit chez son copain Pete.

— C'est un projet qui peut exiger qu'on s'y reprenne à plusieurs fois, tu sais.

— Ordinairement, mes premiers essais sont des coups de maître ! Cependant, je serai ravi de travailler à mon projet autant de fois que tu le souhaiteras.

— Quelle prévenance !

Avec une infinie tendresse, il entreprit de déboutonner son chemisier.

— Sais-tu que, une fois fécondé, un ovule se divise trente-deux fois en seulement soixante-douze heures ?

— Stupéfiant !

Les battements du cœur de Joanna s'accéléraient, son corps réagissait avec fougue au contact familier des doigts de son époux.

— Et dans la première année de la vie...

Il l'embrassa, et elle perdit tout intérêt pour ses lectures. Etre sa femme et la mère de ses enfants comblait ses vœux les plus chers.

Quelle merveilleuse fête ils organiseraient en juillet !

Grand jeu

La couleur des étoiles

Pour fêter ses 20 ans, Harlequin vous offre de fabuleux cadeaux aux couleurs différentes chaque mois : pierres précieuses, accessoires de mode irrésistibles, abonnements à nos collections…

En mars, vous avez joué pour la couleur rubis. Découvrez ce mois-ci nos cadeaux couleur vert émeraude !

De plus, en participant chaque mois à notre jeu, vous multipliez ainsi vos chances de gagner l'un des 20 diamants véritables au grand tirage au sort de juin…

À vous de jouer !

La couleur des étoiles

Comment jouer à notre grand jeu ?

Consultez les romans Harlequin et répondez tout simplement aux 3 questions suivantes en cochant la (ou les) case(s) de votre choix :

1 *Dans le roman de la collection Désirs n° 6 du 15 avril,* **Mon ennemi, mon amour,** *de Pamela Burford, comment le frère de Caleb se prénomme-t-il ?*

❑ James ❑ Zane ❑ David

2 *Dans le roman de la collection Blanche publié dans le volume double n° 420 du 15 avril,* **Le chemin de la guérison,** *de Frances Crowne, de quel pays Isabelle, l'infirmière puéricultrice, revient-elle ?*

❑ Mexique ❑ Éthiopie ❑ Inde

3 *Sur les nouvelles couvertures Harlequin, dans la collection Horizon, comment l'animation* **Bravo les enfants,** *est-elle représentée :*

❑ par un bébé ❑ par un petit garçon ❑ par des cubes

Pour participer au tirage au sort, merci de nous retourner ce bulletin complété lisiblement (ou papier libre) avant le 30 mai 1998 (le cachet de la poste faisant foi) à :
La couleur des étoiles / SFDD - Cedex 3869 - 99386 Paris Concours

Nom |_|_|_|_|_|_|_|_|_|_|_|_|_|_|_|_|_|_|_|_|_|_|_|_|_|_|_|

Prénom ....

Adresse ....

Code postal |_|_|_|_|_| Ville ....

Âge ou date de naissance : ....

Êtes-vous abonnée ? ❑ oui ❑ non

✂- -

Bonne chance et rendez-vous le 1er mai dans les romans des collections Azur et Amours d'Aujourd'hui, et le 15 mai, dans les collections Désirs, Blanche et Sixième Sens, pour gagner des cadeaux couleur saphir et découvrir le mini-magazine n° 3 !

Extrait de règlement : jeu gratuit sans obligation d'achat, valable jusqu'au 30/05/98 pour le grand tirage au sort concernant le mini-magazine n° 2 du 15/04/98 et jusqu'au 30/06/98 pour le grand tirage au sort final. Vous pouvez participer gratuitement en demandant un bulletin de participation à l'adresse du jeu. Une seule participation et un seul gagnant par foyer (même nom, même adresse) et par mois. Timbre remboursé sur simple demande au tarif lent en vigueur (un remboursement par foyer, même nom, même adresse) Règlement complet déposé chez Maître Le Honsec - huissier de justice à Rambouillet, disponible sur simple demande à l'adresse du jeu. Pour des raisons juridiques, les lectrices belges ne peuvent pas participer à ce jeu. *Conformément à la loi Informatique et Libertés du 06/01/78, vous disposez d'un droit d'accès et de rectification aux données vous concernant.*

COLLECTION HORIZON

prochains rendez-vous le

mai

UN HOMME AU GRAND CŒUR, *de Cara Colter* • *N°1533*
Après plus de sept ans d'absence, Sadie se voit contrainte de revenir dans son village natal pour raisons familiales. C'est dans des circonstances pour le moins inhabituelles qu'elle revoit alors Michael O'Bryan, l'homme qui l'a jadis éblouie et dont le souvenir ne cesse de la hanter. Hélas, celui-ci ne la reconnaît même pas...

MARIEUSES EN HERBE, *de Elizabeth Lane* • *N°1534*
Dès leur première rencontre, Mary et Ellen, deux fillettes que tout sépare, nouent des liens d'affection très forts. Persuadées que leurs parents respectifs, Kate et Jeff, sont eux aussi faits pour s'entendre, même s'ils ne veulent pas se l'avouer, elles mettent tout en œuvre pour les rapprocher...

TENDRE BATAILLE, *de Leigh Michaels* • *N°1535*
Lorsque son père est injustement accusé, Morea, avocate, se voit confier par sa mère une mission bien délicate : convaincre son plus farouche adversaire, Ridge Coltrain, d'accepter de le défendre. Prise au piège, la jeune femme hésite cependant à affronter son confrère, pour lequel elle éprouve un sentiment qui n'a rien à voir avec leur légendaire rivalité...

LE PASSÉ ENFUI, *de Julianna Morris* • *N°1536*
Frappé d'amnésie, Nick, à son réveil, découvre avec stupeur qu'il est marié à Emily, une femme superbe... et enceinte de lui. Malgré sa mémoire défaillante, il décèle une certaine bizarrerie dans le comportement de son "épouse". Emily lui ment-elle ? Et si oui, pourquoi ?

A PORTÉE D'AMOUR, *de Dixie Browning* • *N°1537*
Pour briser la solitude de Jay, ses amies font paraître à son insu une annonce matrimoniale vantant ses nombreux mérites. Très vite, la jeune femme est assaillie de propositions et, sous le regard jaloux de son locataire et voisin, le séduisant Jonathan Blanchard, accepte rendez-vous sur rendez-vous...

UN HASARD CAPRICIEUX, *de Alaina Hawthorne* • *N°1538*
Alors qu'elle est séparée d'Adam depuis un an à peine, Evie, propriétaire d'une boutique de cadeaux, se voit commander un somptueux présent destiné à la nouvelle fiancée de celui qui est toujours son mari...

En ce début de printemps, la fête continue dans les collections Harlequin ! Offres spéciales, promotions, cadeaux, et un grand jeu doté de pierres précieuses : un programme éblouissant, destiné à vous séduire, vous détendre et vous faire plaisir. Découvrez...

Le 15 avril : coffret Fête des Mères
En cadeau, à l'intérieur, un ravissant bijou

Pour que la fête des mamans ne soit que tendresse, amour et émotion, nous vous proposons un magnifique coffret de 2 romans sélectionnés dans les collections Les **Historiques** et **Horizon**, et réédités spécialement pour l'occasion avec, en cadeau, une ravissante bague ajustable.

Le 1er mai :
offre spéciale "3 romans pour le prix de 2"

Ne manquez pas notre coffret "3 romans pour le prix de 2", composé de 2 romans inédits de la collection Azur, ainsi que d'un roman de la collection Blanche, spécialement réédité pour vous et gracieusement offert.

Le 1er mai :
Romans Coup de Cœur Bébés

Liz, Danna et Robin réservent, chacune à sa façon, une surprise à l'homme de leur vie. Et quelle surprise, puisqu'il s'agit de... bébés ! Mignons, craquants, adorables, ils ne demandent qu'à faire fondre leur papa. Mais qu'en pensent-ils, justement, les futurs papas ? À vous de le découvrir...

VOTRE PROCHAIN RENDEZ-VOUS AVEC LES BEST-SELLERS HARLEQUIN

Le 1er mai, découvrez trois nouveaux Best-Sellers Harlequin.

LE TESTAMENT D'AURORE, ***de Emilie Richards • n°75***
Dans la touffeur parfumée d'une fin d'été en Louisiane, proches et étrangers sont rassemblés pour prendre connaissance du testament d'Aurore Gerritsen. Chacun est là aux aguets, dans l'attente d'un partage favorable aux descendants d'Aurore. Mais la distribution des biens fait resurgir des secrets de famille, de lourds secrets depuis longtemps enfouis...

Devant le succès de Louisiane Story (Best-Sellers N°66), *Emilie Richards en a fait revivre les personnages dans* Le testament d'Aurore. *Un roman passionnant, que vous pourrez savourer en toute liberté, même si vous n'avez pas lu* Louisiane Story.

L'ENFANT DU CHANTAGE, ***de Margot Dalton • n°76***
A Spokane, dans l'Etat de Washington, l'enlèvement du petit Michael bouleverse tout le monde: la ville, les médias, l'inspecteur Jackie Kaminski chargée de l'enquête... Tout le monde, sauf les parents de l'enfant, divorcés depuis peu, qui affichent une angoisse modérée. Trop calmes, de l'avis de Jackie, pour être tout à fait innocents. Mais qui est vraiment l'auteur du forfait? De visite en visite, Jackie tente de démêler l'écheveau, et quand enfin elle parvient à en tirer le premier fil, le dénouement ne laisse pas de la surprendre jusqu'à l'horreur...

LE JARDIN DES PASSIONS, ***de Jennifer Blake • n°77***
Quand Alec Stanton se présente un jour dans la vieille propriété d'Ivywild, afin de redonner à l'immense parc en friche sa splendeur d'antan, il tombe aussitôt sous le charme de la maîtresse des lieux Laurel Bancroft, une femme vulnérable qui, meurtrie par un drame terrible, mène une existence recluse depuis des années. Mais un coeur blessé est plus difficile à ranimer qu'un jardin à l'abandon, surtout quand la prisonnière du passé s'est, depuis longtemps, résolument fermée à la vie...

Composé sur le serveur d'EURONUMÉRIQUE, À MONTROUGE
PAR LES ÉDITIONS HARLEQUIN
Achevé d'imprimer en mars 1998
sur les presses de l'Imprimerie Bussière
à Saint-Amand-Montrond (Cher)
Dépôt légal : avril 1998
N° d'imprimeur : 469 — N° d'éditeur : 7059

Imprimé en France